© FOMA — 5 Continents 1990
I.S.B.N. 2-88-003-131-1
Hatier 2-218-02568-X
Dépôt légal 90-01-14

Histoire de France

Patrick Restellini
Ilios Yannakakis

Grenier des Merveilles

 **HATIER**

Conception graphique :
Didier Thimonier
Iconographie :
Edith Garraud
Cartographie :
Victoire Zalacain

Sommaire

La Préhistoire

La période que nous appelons Préhistoire retrace l'aventure de l'homme depuis son apparition sur la Terre jusqu'à l'invention de l'écriture (3 200 av. J.-C.). Elle est très longue : plus de 4 millions d'années, soit 40 000 siècles dans l'état actuel de nos connaissances. Il s'agit bien sûr d'une histoire d'hommes anonymes faute de témoignages écrits. Seuls des vestiges matériels — armes et outils en pierre et en os, peintures rupestres, traces de camps d'habitation, sites funéraires, restes d'hommes fossilisés — ont permis aux savants, à partir du XIXᵉ siècle d'étudier et de différencier la Préhistoire. Son immense durée les a conduits à la diviser en deux grandes périodes : le Paléolithique ou Age de la Pierre ancienne et le Néolithique ou Age de la Pierre nouvelle. Elles sont suivies de l'Age des Métaux.

Découverte en 1940, la grotte de Lascaux est décorée d'environ 150 animaux et signes peints aux alentours de 15 000 avant J.-C. Les couleurs naturelles sont à base d'ocre, d'oxyde de manganèse, d'hématite et de kaolin. Les animaux les plus représentés sont les chevaux, les bovidés, les cerfs, les bisons et les bouquetins.

Les premiers habitants

L e premier habitant de la France est l'Homo Erectus. Héritier de l'Australopithèque et de l'Homo Habilis, il a quitté l'Afrique pour se répandre aussi bien en Europe qu'en Asie. Passant sans doute par le Proche-Orient, il atteint la France méridionale où le climat tempéré favorise son installation. C'était il y a 1,8 million d'années.

Cet homme nous ressemble déjà beaucoup. Nettement plus grand que l'Australopithèque, il possède encore un cerveau moins gros que le nôtre, d'un tiers environ. Les restes humains découverts dans la grotte de Tautavel (Pyrénées-Orientales) nous donnent l'image d'un homme robuste et déjà évolué. Il est l'inventeur du biface, un silex taillé sur les deux faces, bien adapté à la main, et sait maîtriser le feu (500 000 ans av. J.-C.). Il utilise les peaux de bêtes pour se vêtir. Prédateur, il vit surtout de cueillette et de chasse, sait organiser des battues et fabriquer des pièges. Nomade, il suit les déplacements du gibier et vit à l'entrée des grottes ou dans des huttes faites de branchages et de peaux qu'il aménage intérieurement. Au centre des huttes, le sol est creusé pour installer le foyer. Autour, un muret de pierres protège la flamme du vent. Les déchets de leur vie quotidienne (ossements de gibier, outils, éclats de silex) sont rejetés à l'extérieur. Sa civilisation est celle du Paléolithique inférieur.

Notre ancêtre direct : Cro-Magnon

A u Paléolithique moyen, vers 100 000 av. J.-C., l'Homo Erectus a laissé la place à un nouveau type d'homme plus proche de nous encore, l'homme de Neandertal. Son nom vient d'un petit vallon d'Allemagne où ses restes ont été découverts pour la première fois en 1856. Il est contemporain de la glaciation de Würm. En France, le plus ancien Néandertalien a été découvert en Corrèze à la Chapelle-aux-Saints.

De petite taille (1,55 m) mais trapu et très musclé, il possède un cerveau égal ou supérieur au nôtre (1 600 cm³). Comme l'Homo Erectus, c'est un chasseur nomade, vivant en petits groupes dans des campements en plein air ou à l'entrée des grottes.

On lui a longtemps disputé sa qualité d'homme. Or, il est le premier être humain à enterrer ses morts de manière rituelle dans des fosses creusées dans le sol (La Ferrassie).

L'homme de Neandertal disparaît vers 35 000 av. J.-C. sans descendance. Il est remplacé au Paléolithique supérieur par un homme nouveau, l'Homo Sapiens sapiens, l'homme de Cro-Magnon, notre ancêtre direct. Il a déjà l'anatomie des hommes actuels. Comme ses prédécesseurs, il chasse les grands troupeaux

Les Glaciations

Au Quaternaire, la dernière des ères géologiques, la Terre a connu plusieurs périodes de refroidissement du climat appelées glaciations séparées par des phases de réchauffement ou interglaciaires. Quatre fois de suite, les glaces ont ainsi envahi une partie des continents.

En Europe, ces glaciations ont reçu le nom de quatre affluents du Danube d'après les traces de ces anciens refroidissements découverts par les géologues. De la plus ancienne à la plus récente se succèdent les glaciations de Günz, Mindel, Riss et Würm. La dernière (90 000-10 000 ans av. J.-C.) correspond à l'époque de l'homme de Neandertal et de Cro-Magnon. De vastes glaciers s'étalaient alors sur l'Europe du Nord recouvrant d'une masse épaisse la Scandinavie, les plaines hollandaise et germanique, les îles britanniques jusqu'au voisinage de Londres. Seul le territoire français échappait aux glaciers à l'exception des Alpes et des Pyrénées. Le niveau des mers, lui, s'était abaissé d'une centaine de mètres, découvrant les parties basses des continents.

Sous l'effet des changements de climat, la faune et la flore se sont modifiées. En période froide, le nord de l'Europe est occupé par des steppes glacées parcourues par des troupeaux de bisons, de mammouths, de rhinocéros laineux et de rennes. Plus au sud s'étendent forêts et prairies d'herbes sauvages peuplées d'élans, de bœufs musqués, de chevaux et d'aurochs, une sorte de grand taureau.

d'herbivores (bisons, mammouths, rennes). Il perfectionne la taille du silex, sait travailler l'os, l'ivoire et le bois de renne. Il met au point de nouvelles armes de chasse (propulseur, harpon), invente l'aiguille, la lampe à graisse, le hameçon. Avec habileté et sensibilité, il aime peindre, dessiner ou graver des animaux, des troupeaux ou des signes étranges sur les parois des grottes qu'il fréquente. Les œuvres les plus importantes se trouvent situées dans 150 grottes environ du Sud-Ouest (Lascaux, Rouffignac, Niaux). Il sculpte également des statuettes féminines, les « Vénus ».

Les premiers agriculteurs

A la fin du Paléolithique, vers 10 000 av. J.-C., le changement de climat modifie les conditions de vie. Les températures se radoucissent, les glaciers reculent, la forêt progresse, la faune se transforme. Les descendants de Cro-Magnon s'adaptent à ces nouvelles conditions naturelles.

Après une période de transition (le Mésolithique) où la pêche et la cueillette jouent un grand rôle, l'homme apprend, entre 8 000 et 5 000 av. J.-C., à domestiquer les animaux (chien, chèvre, mouton, porc, bœuf) et à cultiver des plantes. De chasseur-cueilleur, il devient peu à peu éleveur et agriculteur sédentaire. C'est la « révolution néolithique », une époque où l'homme invente également la poterie, le tissage, la houe, la faucille, la meule et crée des villages. Né au Proche-Orient, le Néolithique ne touche la France qu'entre 6 000 et 2 000 av. J.-C., en empruntant deux voies distinctes : la Méditerranée et les vallées du Danube et du Rhin. Dans les plaines de l'Est et du Bassin parisien, les hommes se regroupent pour cultiver la terre et défricher les forêts à l'aide de haches en pierre polie ou du feu. Ils construisent des villages composés de grandes maisons rectangulaires (10 à 14 m sur 6 à 8 m) à la charpente de bois et aux murs de torchis.

A l'Ouest, sur la façade atlantique (Bretagne), se développe une architecture de pierre, celle des mégalithes. Les dolmens sont de vastes tombeaux collectifs parfois recouverts de terre. Beaucoup plus mystérieuse est la fonction des menhirs, seuls, voire alignés comme à Carnac, ou disposés en cercle (cromlech). La Préhistoire s'achève avec l'introduction dans notre pays des techniques du métal en provenance de l'Orient et de l'Europe balkanique. C'est d'abord le cuivre qui est travaillé vers 2 500 av. J.-C. dans le Midi de la France. Des populations venues de l'Est européen font connaître vers 1 800 av. J.-C. l'usage et la fabrication du bronze, un alliage de cuivre et d'étain beaucoup plus résistant. Les Celtes, originaires d'Europe centrale, s'installent huit siècles environ avant notre ère sur le territoire actuel de la France, introduisant la métallurgie du fer.

C'est de cet immense brassage que sont issus « nos ancêtres les Gaulois ».

La Vénus de Brassempouy, sculptée dans un morceau d'ivoire, comme ce propulseur à tête de cheval en bois de renne, sont l'œuvre de Cro-Magnon.

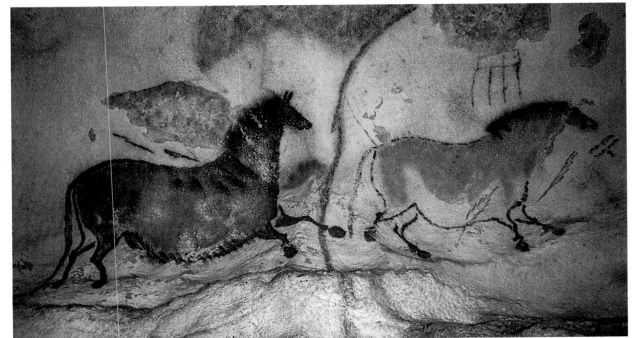

Nos ancêtres les Gaulois

A l'époque romaine, notre pays s'appelle la Gaule et ses habitants, les Gaulois. C'est par les écrits d'auteurs grecs et romains et par les fouilles archéologiques que nous les connaissons historiquement.

Les Gaulois sont des Celtes. Originaires d'Europe centrale, ces populations ont envahi par vagues successives à partir de 1 200 avant JC le territoire actuel de la France et se sont mêlés aux populations en place. On ne sait rien des peuples qui ont précédé leur arrivée.

Pour les auteurs anciens (Strabon, Diodore de Sicile) les Celtes étaient des barbares connus pour leur cruauté, leur bravoure, leur goût des querelles et du vin. Pourtant les Celtes ont développé des arts et des techniques parmi les plus perfectionnés de l'Antiquité. Ils ont rapporté aux populations autochtones du Néolithique une solide expérience du travail du fer et du bois.

Au moment de la conquête romains, la Gaule, dont la population est estimée à 12 millions d'habitants, ne forme pas un véritable état. Elle est divisée en une soixantaine de tribus indépendantes dominées par des noblesses guerrières et des druides, à la fois prêtres, savants et juges. C'est un pays riche et prospère, qui suscite la convoitise des Romains installés depuis 120 av. JC au sud du pays dans la province de Narbonnaise reliant l'Italie à leurs possessions en Espagne.

La conquête romaine

Alésia, septembre 52 av. J.-C. Le soleil est déjà haut. Un homme à cheval, paré de ses plus belles armes, descend au galop vers les retranchements romains qui encerclent son camp fortifié, perché sur un plateau escarpé, entre deux rivières. A son côté pend sa longue épée dont le fourreau et la poignée sont brillamment incrustés de verreries.

Il est seul, c'est Vercingétorix. Le jeune chef gaulois vient se rendre à César, consul et général romain, qui l'attend, assis sur un siège devant son camp, au milieu de ses légions. Ainsi s'achèvent et la guerre des Gaules et le rêve d'indépendance des belliqueuses tribus gauloises.

Bas-relief, Mayence (RFA). A l'appel des Eduens, des Gaulois en guerre contre les Germains, les légions romaines (ici deux soldats à l'attaque) repoussent ces derniers au-delà du Rhin, avant de conquérir toute la Gaule.

Une civilisation originale

La Gaule est alors une vaste contrée indépendante, couverte de nombreuses forêts et peuplée d'au moins douze millions d'habitants. Elle comprend une soixantaine de peuples, souvent rivaux. Parmi les plus puissants figurent les Arvernes du Massif central, les Carnutes de la Beauce, les Helvètes du Jura, les Belges du Nord, les Vénètes d'Armorique. Chacun a, à sa tête, un roi assisté par une aristocratie guerrière ainsi que par des druides, à la fois prêtres, juges et éducateurs. Leur savoir, qu'ils se transmettent oralement — les Gaulois ignorent encore l'écriture —, est considéré comme sacré.

Les Gaulois vivent en villages. Les cités, fort rares, sont situées à des points stratégiques : chacune d'elles constitue une place forte ou *oppidum**. En matière de religion, les Gaulois adorent une multitude de divinités mais ne possèdent pas d'édifices religieux, seulement des lieux sacrés : arbre, source, fleuve ou montagne.

Des techniques avancées

Pour les Romains qui se souviennent avec effroi du sac de Rome par les Gaulois (390 av. J.-C.), ceux-ci ne sont que des « barbares » pillards et impulsifs. Cependant, leurs techniques sont supérieures à celles des Romains dans de nombreux domaines : excellents agriculteurs, ils ont mis au point une charrue à roues munie d'un soc en fer, bien supérieure à l'araire* de bois, et leur moissonneuse fera l'admiration des Romains. Leurs artisans travaillent les métaux précieux, le verre, le bronze et le fer ; ils sont les premiers à ferrer leurs chevaux et à cercler les roues de leurs chariots de jantes en fer d'une seule pièce. Fort adroits dans le travail du bois, ils ont inventé le tonneau alors que les Romains ne connaissent que l'amphore*, lourde et fragile. Loin d'être isolée, la Gaule est ouverte aux influences étrangères et aux grands courants commerciaux, qui empruntent les vallées du Rhône, de la Saône, de la Seine et de la Moselle.

Connue sous le nom de Dieu de Bourray, cette statue en tôle de bronze a des pieds de cerf et porte autour du cou un collier ou torque. Les yeux en pâte de verre animent son visage.

Les dieux gaulois étaient innombrables et souvent liés à la nature. Parmi les plus importants figuraient la Déesse-Mère (ci-contre), la déesse de l'agriculture, le dieu des eaux, du chêne etc.

Le port de Marseille, fondé par des colons grecs en 600 av. J.-C., est alors la plaque tournante des échanges entre la Gaule et le monde méditerranéen. Marchands italiens et grecs y achètent de l'étain d'origine britannique, de l'ambre de la Baltique, du cuivre alpin, de l'or, des fourrures et des esclaves ; ils y vendent du vin, de l'huile d'olive, des miroirs en bronze et de fines poteries.

La conquête des Gaules (58-51 av. J.-C.)

V oilà la contrée riche et prospère que Jules César va conquérir. Descendant d'une illustre famille romaine, il est dévoré d'ambition et a besoin d'une guerre pour accroître sa gloire, sa puissance et sa richesse. Nommé consul en 59 pour les provinces romaines de Cisalpine et de Narbonnaise, il trouve un prétexte pour intervenir en Gaule l'année suivante. Avec ses légionnaires, il soumet rapidement les uns après les autres les différents peuples gaulois. Par deux fois même, il franchit le Rhin pour intimider les Germains et traverse la Manche pour combattre les Bretons (les Anglais actuels). Les Gaulois cependant supportent mal le joug du vainqueur. Le massacre par les Carnutes des marchands italiens installés à Genabum (Orléans), en février 53, donne le signal d'une insurrection générale dirigée par Vercingétorix, jeune noble arverne que les autres peuples viennent d'accepter pour chef. Pour chasser les Romains, celui-ci préconise une nouvelle tactique : refuser le combat et empêcher l'adversaire de se ravitailler en pratiquant la politique de la terre brûlée.

Vercingétorix commet cependant l'erreur d'épargner la cité d'Avaricum (Bourges). Averti, César s'en empare malgré une résistance héroïque ; puis il marche sur Gergovie en Auvergne, qui est le centre de l'insurrection. Mais il n'arrive pas à prendre la cité d'assaut et perd sept cents légionnaires. La Gaule entière, aussitôt alertée de village en village par des crieurs, s'embrase à cette nouvelle.

La cavalerie de Vercingétorix charge alors imprudemment les Romains dans la plaine dijonnaise ; c'est la déroute. Le chef gaulois est

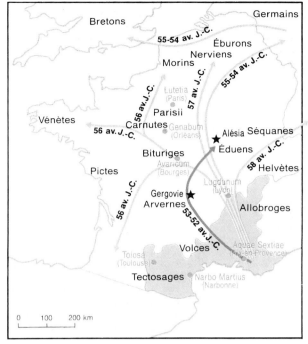

La conquête de la Gaule

Les Gaulois vus par leurs contemporains

Les Gaulois sont de haute taille, leur chair est flasque et blanche, leurs cheveux sont non seulement blonds par nature, mais ils s'appliquent encore à éclaircir la nuance naturelle de cette couleur en les lavant continuellement à l'eau de chaux.

Ils se vêtent d'habits étonnants, de tuniques teintes où fleurissent toutes les couleurs et de pantalons qu'ils appellent braies. Ils agrafent par-dessus des sayons rayés, d'étoffe velue en hiver et lisse en été, divisée en petits carreaux serrés et colorés en toutes nuances...

Les Gaulois ont pour armes des boucliers de la hauteur d'un homme avec des ornements variés d'une facture particulière... Ils se coiffent de casques d'airain avec des hauts cimiers qui donnent à ceux qui les portent une apparence gigantesque...

Aux ennemis tombés, ils enlèvent la tête qu'ils attachent au cou de leurs chevaux... Quant à celles de leurs ennemis les plus illustres, imprégnées d'huile de cèdre, ils les gardent avec soin dans un coffre et ils les montrent aux étrangers...

DIODORE, *Bibliothèque Historique*

obligé de trouver refuge avec ses quatre-vingt mille hommes dans l'*oppidum* d'Alésia en Bourgogne, à une cinquantaine de kilomètres à l'ouest de Dijon.

Il y est bientôt enfermé par une double rangée de fortifications édifiées par les légions de César en un temps record... Vercingétorix, pour sauver ses compagnons, sera obligé de capituler deux mois plus tard.

Une année est encore nécessaire à César pour pacifier entièrement le pays. Cette guerre a saigné la Gaule : près d'un million de morts et autant de prisonniers envoyés en esclavage en Italie. Le pays doit se résigner à n'être plus qu'une simple province romaine, dont la population adoptera rapidement la civilisation des vainqueurs.

C'est après la défaite de 1870-1871 face à l'Allemagne que le nom de Vercingétorix est devenu célèbre. A travers sa lutte contre les Romains, historiens et artistes du XIXe siècle ont voulu glorifier l'amour et la défense du pays.

La Gaule romaine

La guerre finie, Rome s'emploie aussitôt à organiser sa conquête : elle accorde aux peuples gaulois une large autonomie : certains, les plus puissants, sont déclarés alliés de Rome, d'autres sont libres. La plupart doit payer un tribut*, symbole de leur sujétion.

Transport de tonneaux par voie d'eau (bas-relief gallo-romain). L'artère Rhône-Saône-Seine était importante pour le transport du vin sur des barques à faible tirant d'eau, halées le long des rivières par des mariniers regroupés en associations comme celle des Nautes de Lutèce.

Colonie de vétérans, la cité d'Arles s'est ornée, à l'image de Rome, de théâtres, d'amphithéâtres, de temples et de thermes.

L'organisation augustéenne

Le successeur de César, Auguste, divise la Gaule en quatre parties (Narbonnaise, Aquitaine, Gaule Celtique et Gaule Belgique), auxquelles la colonie de Lyon, fondée en 43 av. J.-C., sert de capitale commune. Il fait établir un cadastre* destiné à recenser les biens de chacun et à fournir une base précise pour les impôts.

Auguste confie à son gendre Agrippa la construction d'un réseau routier destiné à relier Rome et l'Italie à tous les points de la Gaule.

Les grandes routes romaines, qui souvent empruntent d'anciennes pistes gauloises, sont organisées en un réseau dense rayonnant à partir de Lyon. Ce sont de grandes voies d'intérêt public conçues avant tout pour la poste impériale et le déplacement des troupes.

A l'exemple de César, qui avait installé des colonies militaires, Auguste fonde, ou agrandit,

de nombreuses villes dans le Languedoc, en Provence, dans les vallées du Rhin et de la Moselle. Elles abritent les autorités administratives, reçoivent leurs ordres de Rome et les diffusent jusque dans les campagnes les plus lointaines.

Les siècles d'or (70-250)

A l'abri du *limes** rhénan, le pays connaît, deux siècles durant, une prospérité économique sans précédent. Le pays exporte du blé, des laines, des objets en bronze et en fer, des salaisons. L'artisanat est florissant ; ainsi les poteries renommées de la Graufesenque près de Millau dans l'Aveyron et de Lezoux en Auvergne (deux cents fours recensés) inondent de leur production toutes les provinces de l'Empire. Dans les campagnes, le *fundus**, domaine agricole de moyenne importance, et la riche *villa** en pierre se développent au détriment de la ferme gauloise traditionnelle. La culture de la vigne s'étend bientôt à tout le pays jusqu'à la vallée du Rhin.

Les voies romaines

Le niveau de vie s'élevant, la population augmente.

Les villes se développent et s'embellissent. Bâties suivant un plan régulier en damier autour d'une place rectangulaire (*forum**) située au croisement des deux voies principales (*cardo** et *decumanus**), elles s'ornent de monuments imités de Rome (arènes*), théâtres, temples, thermes*, arcs de triomphe, fontaines, aqueducs*, portiques et basiliques*).

La civilisation gallo-romaine

L'assimilation politique va de pair avec cette prospérité. Rapidement les Gaulois perdent toute nostalgie de leur indépendance. Très vite, certains aristocrates gaulois obtiennent la citoyenneté romaine, qui sera finalement éten-

Les Romains ont édifié un réseau routier pour faciliter le déplacement des troupes et assurer la poste. Peu de marchandises transitaient par la route faute d'un système d'attelage suffisant pour tirer de lourdes charges.

due à tous les sujets de l'Empire sous Caracalla (212). Les grandes familles se sont empressées de romaniser leur nom et d'apprendre le latin. Langue officielle, écrite de surcroît, celle-ci supplante les parlers celtiques. L'influence des druides est, elle aussi, ruinée par la création des écoles. Une nouvelle élite de marchands et de négociants apparaît ; forte de sa richesse, elle fait construire des maisons à la romaine et occupe des postes dans l'administration impériale.

Malgré sa romanisation, la Gaule ne perd pas sa personnalité : sous leurs noms romains, ce sont toujours des divinités gauloises qui sont honorées.

Les premiers chrétiens

L a religion du Christ fait son apparition en Gaule, dans le Midi, au Iᵉʳ siècle semble-t-il. Elle remonte de Marseille vers Lyon en suivant la vallée du Rhône. Ses adeptes appartiennent alors presque tous aux milieux grecs et orientaux.

D'abord très minoritaire, la nouvelle religion triomphe au début du IVᵉ siècle avec la conversion de l'empereur Constantin ; les églises se multiplient : à la fin du siècle, la conversion de la population des villes est accomplie ; celle des campagnes sera entreprise sous l'impulsion de saint Martin, évêque de Tours.

C'est grâce à la christianisation et à l'influence de l'Église que la civilisation latine se maintiendra en Gaule lors des invasions barbares.

La décadence (IIIᵉ-IVᵉ siècles)

D ès 253, profitant d'un affaiblissement de l'armée, les Barbares franchissent le *limes*

rhénan et ravagent le pays jusqu'aux Pyrénées, avant de devoir battre en retraite... L'activité économique se ralentit ; disette et brigandage font leur apparition ; les villes se hérissent de remparts et sont peu à peu désertées pour la campagne.

Pourtant la Gaule connaîtra encore une longue période de paix de 285 à 350, avant de sombrer définitivement sous le poids des Grandes Invasions.

Les Gaulois avaient l'habitude d'enterrer leurs morts dans des cimetières. Au contact des Romains, ils commencèrent à graver des caractères romains sur leurs pierres tombales.

La chevauchée d'Attila

« *Les Huns arrivent !* » *Ce cri de terreur, que de fois a-t-il retenti aux IVe et Ve siècles dans l'Empire romain.*
Hordes sauvages composées de cavaliers infatigables et d'archers habiles, les Huns quittent, pour des raisons mal connues, leurs steppes d'Asie *centrale et se heurtent, dès 370, aux Germains : l'Empire ostrogoth est détruit, les Wisigoths ne leur échappent qu'en se déplaçant vers le sud ; en 405, la cour itinérante de Mundziuch, roi des Huns, est signalée dans la plaine hongroise.*

Attila, fléau de Dieu

D evenu roi en 434, son fils Attila réussit à unifier les différentes tribus hunniques ainsi que les nombreuses peuplades germaniques et iraniennes placées sous son autorité. C'est un guerrier accompli, un fin politique, d'une cruauté implacable à l'égard de ses adversaires, ce qui lui vaut le surnom de « fléau de Dieu ».

Jusqu'en 449, il menace continuellement de ses raids l'empire d'Orient et ruine nombre de ses villes. Puis, délaissant les Balkans épuisés, il se jette brusquement sur l'Occident romain qui jusqu'alors avait su éviter tout accrochage avec les Huns. D'ailleurs Attila lui-même s'était lié d'amitié avec son futur adversaire, le jeune Aetius.

Les peuples germaniques qui ont déferlé au Ve siècle sur l'Europe, ont brisé l'unité du monde romain. Seule l'Église a su maintenir son autorité et servi de lien entre les mondes romain et germanique.

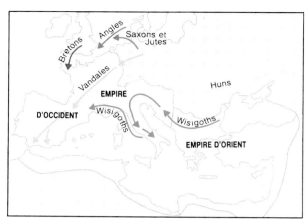

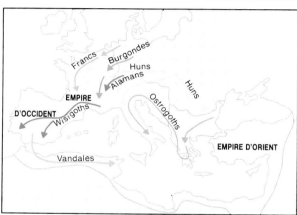

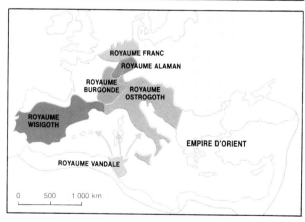

Un mouvement général des peuples

L'invasion de l'Occident romain

A la tête d'une armée que la légende a énormément grossie, Attila franchit le Rhin à la hauteur de Mayence (450). Précédé par une réputation de terreur, il ravage la Gaule de l'est, détruisant successivement Metz, Reims et Troyes avant de descendre vers Paris. L'épouvante est telle que la population s'enfuit à la seule annonce de son approche. Pourtant, le courage et la persuasion d'une jeune fille, sainte Geneviève, empêchent les habitants de Lutèce de céder à la panique. Mais, délaissant cette cité, Attila préfère marcher sur Orléans qu'il assiège aussitôt. Pour sauver sa ville, l'évêque saint Aignan rejoint le maître de la milice romaine, Aetius, à Arles et le supplie d'interve-

Portrait d'Attila

... Il s'avançait fièrement et laissait ses regards errer çà et là, tandis que l'empreinte du sentiment de sa puissance donnait à tout son corps sa raideur ; il aimait la guerre, mais il savait s'imposer des temps d'arrêt ; impérieux dans le conseil, ne reculant pas devant la violence, il prêtait pourtant l'oreille aux supplications... De petite stature, large de poitrine, tête puissante, yeux fendus, barbe rare et grise, nez plat, teint foncé, tout en lui marquait l'origine hunnique...

Lors des banquets, seul Attila se servait d'une assiette en bois et ne mangeait que de la viande. Sa coupe aussi était en bois... La même simplicité caractérisait son costume...

PRISCUS

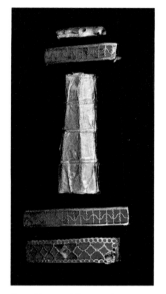

(451). La lutte est acharnée. Après plusieurs heures de mêlée furieuse, les Huns, bousculés par la cavalerie des Wisigoths, sont obligés de se replier derrière leurs chariots.

Les morts sont nombreux : parmi eux, le roi des Wisigoths. Son sacrifice n'a pas été vain. Son armée vient de sauver la Gaule.

La fin de l'Empire hunnique

V aincu, mais encore redoutable, Attila préfère battre en retraite. Il gagne le Rhin sans être inquiété. L'année suivante, le chef hunnique entreprend un second raid, sur l'Italie cette fois. Après avoir dévasté la plaine du Pô, il marche sur Rome. La panique est générale. Mais grâce à une négociation coûteuse, le pape Léon le Grand parvient à le persuader d'évacuer la péninsule. Peu après, Attila meurt brusquement (453). Son empire ne lui survivra pas.

Ces objets, qui font partie du trésor trouvé dans la tombe du roi Childéric à Tournai, en 1653, montrent la richesse de l'art franc. La poignée de l'épée est en or et émail cloisonné. Les guerriers francs étaient inhumés avec leurs armes (ici épée, francisque) et des offrandes (bijoux, monnaies).

Un mouvement général des peuples (IVᵉ-VIIᵉ siècles)

Tout commence avec l'avancée des **Huns**, peuplades nomades et guerrières qui, parties des steppes asiatiques, se fixent dans la grande plaine hongroise au IVᵉ siècle. A partir de là, ils ravagent la Grèce, l'Illyrie et l'Italie : chacune de leurs percées provoque, par ricochet, un déplacement des peuples qu'ils poussent devant eux :

Les Vandales traversent la Gaule dans les dix premières années du Vᵉ siècle puis constituent à partir de 410 en Espagne un royaume indépendant. En 439, ils sont à leur tour chassés d'Espagne et passent alors en Afrique jusqu'en Tunisie d'où, durant un siècle, ils vont dominer la Méditerranée occidentale.

Les Wisigoths, d'abord fixés par les Romains en Illyrie, à titre de peuple fédéré*, s'emparent de Rome en 410, puis s'installent en Gaule du Sud et fondent, de la Loire au sud de l'Espagne, un royaume barbare.

Les Ostrogoths, établis en Illyrie après 450, gagnent ensuite l'Italie où ils créeront au VIᵉ siècle un royaume barbare.

Les Burgondes, harcelés par **les Alamans**, s'installent en Savoie puis jusqu'à la vallée de la Durance et au Massif central.

Les Francs, basés entre Escaut et Rhin et composés de deux grands groupes sont d'abord les alliés de Rome puis commencent, après 450, leur progression vers le sud de la France.

Les Angles, les Saxons et **les Jutes** fixés au nord de l'embouchure du Rhin envahissent l'Angleterre actuelle d'où partent les Bretons qui viendront conquérir l'Armorique et donner son nom à la Bretagne actuelle.

nir. Celui-ci parvient à réunir sous son égide Francs, Burgondes et Alains. Bien plus, il obtient l'aide militaire du roi des Wisigoths, Théodoric Iᵉʳ. Cette armée romano-barbare sauve Orléans sur le point de tomber et force Attila à se replier vers le nord-est.

Poursuivi, celui-ci est amené à engager le combat près de Troyes, au Campus Mauriacus

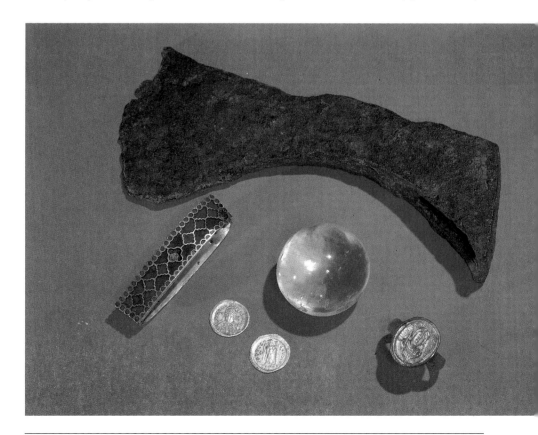

Le Moyen Âge

Entre la chute de l'Empire romain, au Ve siècle, et la Renaissance, dix siècles s'écoulent. Cette très longue période, le Moyen Age, se subdivise en deux parties.

Le haut Moyen Age voit la civilisation romaine s'effacer progressivement pour faire place à une civilisation germano-romaine. L'unité territoriale disparaît et des principautés, des duchés et des comtés s'y substituent. Les invasions et les guerres de toutes sortes transforment les grands propriétaires ruraux en chefs militaires s'appuyant sur des chevaliers qui leur ont juré obéissance.

Le bas Moyen Age commence aux environs de l'an mil. Les liens d'homme à homme deviennent plus serrés et créent la féodalité. C'est une période de prospérité économique et d'essor démographique.

Dans ce contexte, le pape appelle les chevaliers à délivrer les Lieux saints tombés aux mains des musulmans. Les croisades durent deux siècles et sont, sur le plan militaire, un échec, mais elles ont permis un réel affermissement de l'économie, un développement des arts et une transformation des modes de vie.

La guerre de Cent Ans, qui oppose dans des épisodes sanglants le royaume de France au royaume d'Angleterre, va permettre la naissance de l'idée de nation que Jeanne d'Arc incarnera.

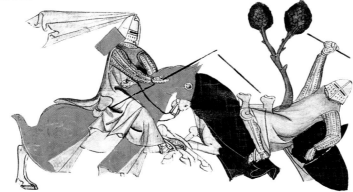

Le baptême de Clovis

Après la chute de l'empire romain d'Occident (476), la Gaule romaine connaît une nouvelle invasion : celle des Francs.

Nièce du roi des Burgondes, Clotilde a joué un rôle important dans la conversion de Clovis, avant de se retirer près du tombeau de saint Martin de Tours. L'Église l'a canonisée six siècles plus tard.

Ce trône dit de Dagobert fut en fait forgé en bronze doré vers 800. Selon une légende, l'orfèvre saint Éloi sut se faire apprécier du roi en confectionnant un trône d'or et en lui rendant le métal qui restait.

Divisés en deux groupes, les Saliens sur le Rhin inférieur (Hollande) et les Ripuaires (région de Cologne), les Francs étaient au IVe siècle les alliés et les soldats de Rome qui les avaient installés dans le nord-ouest de la Belgique et en Rhénanie.

Les plus actifs d'entre eux, les Saliens, avaient profité des désordres engendrés par la Grande Invasion de 406 pour progresser lentement vers le sud, colonisant la Belgique et le nord de la France jusqu'à la vallée de la Somme, avec Tournai pour capitale. Leur prince Childéric continue malgré tout de servir fidèlement les armées romaines et mène en leur nom plusieurs expéditions dans la vallée de la Loire.

La conquête franque

A sa mort (481), son fils Clovis lui succède, la Gaule est alors divisée entre les royaumes franc au nord, alaman à l'est, burgonde au sud-est, et le grand état wisigothique au sud de la Loire. Entre Somme et Loire subsiste un lambeau de royaume gallo-romain aux mains de Syagrius, le maître de la milice romaine, qui perpétue à son avantage l'empire disloqué.

A la suite d'un coup de force, Clovis s'empare en 486 de la « capitale » de ce dernier, Soissons, dont il fait sa résidence, et devient maître de tout le pays jusqu'à la Loire. Ce qui reste de l'armée romaine passe à son service et lui-même décide, peu après, de fixer à Paris le centre de son nouveau pouvoir. Vers 496, il apporte son soutien aux Ripuaires, attaqués par les Alamans, puis détrône à son profit leurs rois successifs.

Païen, il a la suprême habileté de se convertir au catholicisme et bénéficie ainsi de l'appui des évêques et de la masse de ses sujets gallo-romains.

C'est en 496, ou 498, que Clovis reçut le baptême à Reims avec 3 000 de ses guerriers.

Nous savons, par *l'Histoire des Francs*, écrite un siècle plus tard par Grégoire de Tours, que Clovis, depuis longtemps exhorté par la reine Clotilde à abandonner les idoles, prit sa décision lors d'une bataille qu'il livrait sans grand espoir à ses ennemis, les Alamans. Victorieux, il dit avoir obtenu la victoire en invoquant le nom du Christ. Saint Rémi en le baptisant lui adressa la parole en ces termes éloquents : « Courbe humblement la tête, sicambre ; adore ce que tu as brûlé, brûle ce que tu as adoré ».

Fort du soutien de l'Église et de l'aristocratie gallo-romaine, qui voient désormais en lui le seul roi légitime des Barbares, Clovis fait alors la guerre contre les Burgondes, échoue et, peu après, noue une alliance avec eux contre les Wisigoths d'Alaric II, qu'il écrase en 507 à Vouillé, près de Poitiers. Il annexe tous les pays entre Loire et Pyrénées, à l'exception de la côte méditerranéenne demeurée avec l'Espagne aux mains des Wisigoths. Suprême consécration, il reçoit même de l'empereur d'Orient, à titre honorifique, la dignité de consul. A sa mort, son royaume couvre les trois quarts de la Gaule.

Ses quatre fils, qui se sont partagé son royaume, poursuivront son œuvre en occupant successivement le royaume burgonde (534), la Provence tenue alors par les Ostrogoths d'Italie (536), et la majeure partie de l'Allemagne du

Sud. Au milieu du VIᵉ siècle, leur royaume forme l'ensemble territorial le plus puissant de l'Europe occidentale.

La fusion entre Romains et Barbares

Avec la dynastie mérovingienne — ainsi appelle-t-on du nom d'un ancêtre, Mérovée, les rois francs issus de Clovis — apparaît un nouveau régime politique. La conquête de la Gaule a fait du chef militaire à la tête de ses troupes un souverain : le roi des Francs (*rex francorum**) qui exerce une autorité absolue sur tous ses sujets, et considère son royaume et donc ses revenus comme un bien privé qu'il partage à son gré entre ses fils. Sa cour est copiée sur le modèle impérial avec des palais, sortes de campements itinérants où vivent les membres de son aristocratie qui s'occupent de son écurie (connétable*), de sa table, de son tribunal, de ses valets (sénéchal*) ou de son trésor.

Des préceptes et des édits sont rédigés en latin en reprenant les formules impériales ; chaque peuple a sa loi : loi salique pour les Francs, loi Gombette pour les Burgondes, code Euric* pour les Wisigoths. Un maire du palais contrôle

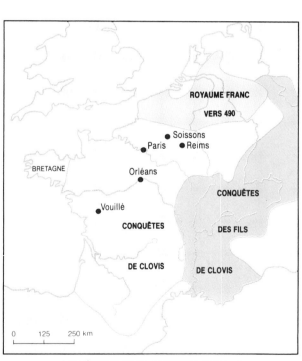

Les étapes de la conquête franque

les intendants royaux qui doivent suffire à l'entretien du roi et de l'aristocratie, car l'impôt n'est plus payé. Très vite le roi, pour récompenser ceux qui le soutiennent, leur accorde des privilèges et des terres dont ils tirent des revenus durant leur vie.

Sur le plan local, le roi est représenté par le comte*, qui exerce en son nom tous les pouvoirs et, en particulier, convoque chaque printemps les hommes libres pour la guerre.

L'Église, héritière de la culture latine, contribue à réaliser la fusion entre les divers peuples de la Gaule et à édifier une culture commune.

L'essor des monastères, encouragé par les rois francs, facilite l'évangélisation de régions demeurées encore païennes.

Cette miniature représente Clovis II, fils de Dagobert, accordant des privilèges à l'abbaye de Saint-Denis. Fondée par Dagobert en 625, celle-ci eut par la suite la garde des tombeaux des rois de France.

L'unité franque menacée

Les multiples partages entre les fils de Clovis et leurs descendants sont la cause de terribles guerres fratricides qui renforcent l'opposition entre les royaumes de l'Est (Austrasie) et ceux de l'Ouest (Neustrie), tandis qu'au sud de la Loire, les terres de civilisation romaine (Aquitaine, Burgondie, Provence) tendent à se détacher de l'influence franque. A deux reprises, sous Clotaire Iᵉʳ (558-561) et sous Clotaire II et son fils Dagobert (613-639), les terres franques seront regroupées sous un même roi.

Après Dagobert, la dynastie mérovingienne n'est dirigée que par des princes faibles, malades ou déséquilibrés, longtemps désignés par les termes de rois fainéants. Ceux-ci abandonnent leur autorité aux maires du palais, qui réussissent à rendre leurs charges héréditaires, tandis que le pouvoir local de l'aristocratie grandit.

L'anarchie s'instaure et aboutit à l'émiettement du royaume.

C'est une grande famille, originaire d'Austrasie, qui à la fin du VIIᵉ siècle entreprendra de refaire l'unité franque : les Pippinides, ancêtres des Carolingiens.

Le choc de deux mondes

Surgie des sables de la Péninsule arabique, une nouvelle puissance — l'Islam — fait son apparition en Europe au début du VIIIe siècle. Son avancée est fulgurante : en 718, les troupes arabes — sarrasines*, disait-on alors — franchissent les Pyrénées, occupent Narbonne, Nîmes,

Carcassonne. De là sont organisés de grands raids sur la Gaule. De petites bandes armées remontent la vallée du Rhône jusqu'au cœur de la Bourgogne. Nombreuses sont les villes pillées. L'absence de résistance et l'importance du butin rapporté incitent les Sarrasins à renouveler ces expéditions.

Par sa victoire de Poitiers, Charles Martel est apparu aux yeux du monde chrétien comme le champion de l'Église.

Armés d'une lance, d'un arc et d'un bouclier rond, les cavaliers musulmans attaquaient l'ennemi puis feignaient de se replier avant de repartir brusquement à l'assaut.

Les premiers Carolingiens

L e danger est d'autant plus grand que le royaume franc est aux prises avec des révoltes intérieures depuis la mort de Pépin d'Héristal (714). Maire du palais d'Austrasie depuis 679, puis de Neustrie après la défaite de ses rivaux en 687, il gouvernait alors pratiquement le pays avec le titre de « prince des Francs », tout en laissant régner les Mérovingiens. Sa mort provoque de nouveaux troubles dont son énergique bâtard, Charles Martel,

vient à bout. Celui-ci réussit au bout de six années de luttes à abattre ses rivaux et, en s'imposant à son tour comme « prince des Francs », à préparer l'unité du royaume. Il est en train de mater des révoltes au nord et à l'est du Rhin quand il apprend qu'une expédition dirigée par l'émir d'Espagne Abd er-Râhman vient d'entrer en Aquitaine par le col de Roncevaux. Ayant franchi la Garonne et la Dordogne, elle s'avance en direction de Tours, ville sacrée de la Gaule chrétienne, après avoir, au passage, pillé Bordeaux et écrasé les armées du duc d'Aquitaine.

Pour parer au danger, Charles Martel accourt et défait les troupes sarrasines à Poitiers (732). Vainqueur, il apparaît comme le soldat du Christ et le défenseur de la chrétienté, même s'il a largement dépouillé l'Église de ses terres pour les distribuer à ses fidèles, issus pour la plupart de l'aristocratie austrasienne. Sachant exploiter sa victoire, Charles obtient la soumission du duc d'Aquitaine et rétablit l'autorité franque en Bourgogne et en Provence ; seul le bas Languedoc, demeuré aux mains des Arabes, lui échappe malgré plusieurs expéditions.

En même temps, il noue des relations avec le pape et accorde son soutien aux missionnaires anglo-saxons, œuvrant en Germanie. Son autorité est telle qu'il se permet, à la mort du roi mérovingien Thierri IV (737), de laisser le trône vacant. Il n'ose toujours pas prendre le titre royal, mais néanmoins dispose du royaume souverainement, au point de le partager à sa mort (741) entre ses fils Carloman et Pépin le Bref.

Mahomet

Né en 571 à la Mekke, petite cité marchande de la péninsule d'Arabie, Mahomet est le fondateur de l'islam, mot qui signifie abandon à Dieu, à la volonté de Dieu. Orphelin dès son plus jeune âge, il sera berger, puis conducteur de caravanes. Après son mariage avec une riche veuve, Khadidja, il mènera une vie de commerçant aisé et s'adonnera à la méditation.

Lors de ses voyages de caravanier, il avait connu des marchands juifs et chrétiens, adeptes de religions fondées toutes deux sur la croyance en un dieu unique.

Vers l'âge de quarante ans, il a de nombreuses visions : l'archange Gabriel lui révèle la Parole divine et lui ordonne de la prêcher aux Arabes (612). Encouragé par sa femme, par son cousin Ali et déjà par quelques disciples, il tente vainement d'amener ses concitoyens à Allah, le dieu unique.

Les Mekkois s'opposent rapidement à lui, car la nouvelle religion suppose l'abandon des anciennes idoles et du sanctuaire de la cité, source de pèlerinage et d'enrichissement. Menacé dans sa vie, il fuit à Médine, la cité rivale, le 16 juillet 622. Cette fuite, l'Hégire, est prise pour point de départ du calendrier musulman. A Médine, il unifie sous son autorité les différentes tribus, organise la nouvelle religion et prêche le jihad, la guerre sainte contre les infidèles. Après huit ans de combats et de négociations, Mahomet triomphe : la Mekke se rallie à lui et devient le lieu saint de la nouvelle religion.

La royauté de droit divin

Confrontés à des soulèvements qui éclatent aussitôt contre eux, les deux frères jugent plus prudent de rétablir la royauté au profit du mérovingien Childéric III (743). Carloman s'étant retiré dans un couvent, Pépin le Bref se retrouve quatre ans plus tard seul maître du royaume. Il procède à la réforme de l'Église des Gaules, en réglant le problème des confiscations des terres ecclésiastiques par le versement d'un cens*. Aussi, fort de l'appui du pape, il dépose le dernier Mérovingien pour incapacité et se fait proclamer roi des Francs en 751. Nouveauté, il se fait sacrer avec de l'huile sainte à Soissons par les évêques conduits par saint Boniface. Deux ans et demi plus tard, le pape, venu implorer son secours contre les Lombards, le sacre en personne une seconde fois dans la basilique de Saint-Denis avec ses deux fils Charles et Carloman. La monarchie de droit divin vient de naître. D'usurpateurs, Pépin le Bref et ses successeurs deviennent les oints du Seigneur*, rois par la volonté de Dieu.

Soutenu désormais par l'Église, Pépin entreprend la conquête de la Saxe. Il chasse également les Arabes de la Septimanie (Languedoc) où ils étaient encore établis, avant de rattacher à son royaume l'Aquitaine (760-768). A sa mort, il laisse un royaume fortement agrandi et soutenu par la papauté. La voie est tracée pour son fils et successeur, Charlemagne.

A Poitiers, les cavaliers musulmans se sont heurtés, contrairement à cette miniature du XIVe siècle, à une armée de fantassins francs armés d'un long bouclier, d'une lance, d'une francisque et d'une épée.

Une conquête foudroyante

Commencée du vivant de Mahomet, la conquête musulmane se poursuivra jusqu'au milieu du VIIIe siècle.

La conquête territoriale n'a jamais été « ordonnée » par le Coran, et encore moins par le Prophète ou ses successeurs. Elle repose sur des initiatives individuelles et c'est le succès seul qui a entraîné d'autres conquêtes.

A peine achevée l'unification de l'Arabie, les Musulmans s'attaquent aussitôt à leurs puissants voisins. La première expansion militaire est fulgurante : en vingt ans (632-651) tout l'Empire perse est annexé, l'Empire byzantin perd la Syrie et l'Égypte.

Un moment interrompue par des querelles politiques, la conquête reprend à partir de 690. A l'ouest, elle submerge toute l'Afrique du Nord, puis l'Espagne arrachée aux Wisigoths (714). A l'est, le Turkestan et la région de l'Indus sont soumis. Puis commencent les revers : les musulmans échouent devant Constantinople (718), au-delà des Pyrénées devant Poitiers (732), enfin en Asie centrale sur le Talas, face aux Chinois (751).

Les conquêtes arabes

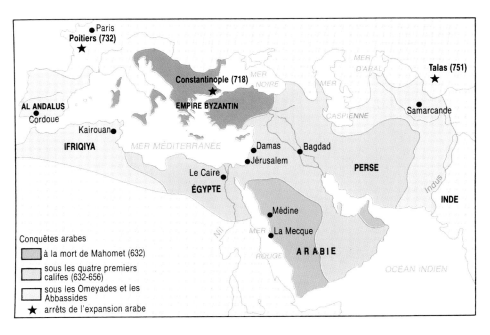

Conquêtes arabes
- à la mort de Mahomet (632)
- sous les quatre premiers califes (632-656)
- sous les Omeyades et les Abbassides
- ★ arrêts de l'expansion arabe

Charlemagne et son empire

Seul maître des Francs en 771, à la mort de son frère Carloman, Charles Ier le Grand (Carolus Magnus) est le souverain le plus prestigieux de la dynastie carolingienne.

En quarante-trois ans de règne il a su étendre son royaume à la plus grande partie de l'Europe actuelle et il a pris finalement le titre d'empereur.

Si Charlemagne protège l'Église et soutient le Pape, il contrôle néanmoins étroitement la nomination des évêques et des abbés.

Grand conquérant, sage administrateur, défenseur de la foi chrétienne, restaurateur de l'empire, Charlemagne est entré dans la légende dès le Moyen Age.

Pour protéger les frontières du royaume, il sera amené à lancer de nombreuses expéditions.

Il conquiert sans difficultés le royaume lombard d'Italie dont il prend aussitôt la couronne (774).

Quatre ans plus tard, il organise une grande expédition qui échoue contre les musulmans d'Espagne ; sur le chemin du retour son arrière-garde, commandée par le comte Roland, est massacrée par des montagnards basques. Cette défaite est à l'origine de la fameuse chanson de geste*, la « Chanson de Roland ». Il lui faudra attendre le début du IXe siècle pour réussir à constituer, des Pyrénées jusqu'à l'embouchure de l'Èbre, la marche* d'Espagne (Catalogne).

Dès le début de son règne il avait entrepris la conquête de la Saxe païenne qui menaçait directement les frontières de l'Austrasie. Il se heurte là à une résistance opiniâtre et il lui faudra trente-trois années de luttes pour parvenir à soumettre et à convertir les Saxons, et à étendre le royaume franc jusqu'à l'Elbe.

Le prestige de Charlemagne était si grand que, très vite, une légende s'est créée autour de lui au Moyen Age, celle de « l'Empereur à la barbe fleurie », auteur de nombreux miracles.

Il annexe également la Bavière (788) et établit la domination franque en Autriche et en Hongrie occidentale (795) après avoir défait les nomades Avars.

L'empereur d'Occident

Jamais, depuis l'Empire romain, un souverain n'avait gouverné un ensemble territorial aussi vaste. Son prestige est encore accru lorsque, le 25 décembre 800, le pape Léon III le couronne empereur, en présence d'une foule immense, dans la basilique Saint-Pierre de Rome. Son rayonnement est tel que même le calife des infidèles, Harun al-Rachid, échange avec lui des ambassadeurs. Seule Byzance, qui se considère toujours comme unique héritière de l'Empire romain, conteste à Charlemagne son titre.

Le nouvel empire, cependant, n'a rien de commun avec celui de Rome : l'autorité de Charlemagne s'exerce sur un agglomérat de royaumes et de peuples aux langues, aux mœurs et aux lois différentes. Le seul ciment est l'Église.

L'administration demeure rudimentaire en dépit de ses efforts constants. Charlemagne gouverne à partir de sa nouvelle capitale, Aix-la-Chapelle, dont il fait, dès 795, sa résidence principale. Il voyage beaucoup suivi de sa cour,

Le partage de l'Empire

Charlemagne meurt en ne laissant qu'un fils et héritier, Louis le Pieux ; ce dernier, dès 817, décide de diviser son royaume entre ses fils. A sa mort en 840, l'aîné, Lothaire, porte le titre d'empereur et veut déposséder ses deux frères. Au bout de trois années de luttes les trois frères se partagent, par le traité de Verdun, les territoires de l'empire :

— Lothaire, détenteur du titre impérial, reçoit la Francie moyenne ou Lotharingie qui s'étend de la mer du Nord à la Méditerranée.

— Louis dit « le Germanique » reçoit à l'est du Rhin la Francie orientale.

— Charles dit « le Chauve » s'installe, à l'ouest de la Meuse et de la Saône, en Francie occidentale.

A la mort de Lothaire, divisions et luttes fratricides reprennent de plus belle ; or, dans le même temps, les invasions recommencent.

inspecte ses nombreux domaines, organise lui-même son empire qu'il a divisé en trois cents comtés appelés *pagi** en Francie occidentale et *gau** en Germanie.

Dans son palais, il organise quelques services chargés de recevoir les demandes des évêques et comtes qui le représentent au niveau local, et de rédiger en retour les réponses du souverain.

Les décisions, prises lors de l'assemblée annuelle du Champ de Mai, où se regroupent tous les hommes libres, sont proclamées et rédigées sous forme de capitulaires* ; elles sont valables pour tout l'empire et chaque comte doit les faire exécuter. Les comtes choisis par l'empereur parmi les membres de l'aristocratie franque lui sont liés par un serment de fidélité et reçoivent en échange des terres en bénéfices* dont ils tirent leur vie durant des revenus.

Depuis 802 les comtes eux-mêmes sont contrôlés par des inspecteurs en mission, les *missi dominici** (textuellement : les envoyés du maître), chargés de rendre compte à l'empereur des fautes ou des excès des administrateurs.

La renaissance carolingienne

Sous le sage gouvernement de Charlemagne, l'empire connaît la paix et l'ordre intérieur ; il institue, en 794, la monnaie d'argent en remplacement de la monnaie d'or disparue depuis les Mérovingiens, et réserve le monopole de la frappe aux ateliers royaux. Les échanges, tombés au plus bas depuis le VIIIe siècle, commencent à renaître. Le grand commerce, aux mains de quelques colporteurs et de marchands professionnels, reste pourtant très faible. L'économie de troc est encore prédominante et la principale source de richesse reste le grand domaine agricole (*villa*).

La paix carolingienne permet également un renouveau des études. Frappé par l'oubli du latin et l'ignorance du clergé, Charlemagne ordonne aux évêques et aux monastères de créer des écoles dans chaque diocèse. En 813, un capitulaire institue les écoles primaires dans les paroisses rurales. L'empereur fait même venir à sa cour des maîtres étrangers : ainsi se constitue une école palatine dirigée à partir de 782 par l'anglo-saxon Alcuin.

La renaissance des études s'accompagne d'un immense effort pour multiplier les livres et bientôt chaque monastère a son atelier de moines copistes. Des bibliothèques importantes se constituent alors.

Les arts se développent : les livres sont ornés de miniatures et richement reliés ; les églises et les palais se couvrent de marbre et de mosaïques ; dans l'abbaye de Saint-Gall naît le chant grégorien.

Cette renaissance intellectuelle et artistique se poursuivra sous les successeurs de Charlemagne, en dépit des vicissitudes politiques.

Cette statuette en bronze, haute de 25 cm, correspond à la description idéalisée de l'empereur faite par le moine Éginhard, celle d'un homme à «la carrure large et élevée», alors qu'il était petit, gros et imberbe.

Comte de la marche de Bretagne, Roland trouve la mort dans une embuscade tendue par des Basques à l'arrière-garde de l'armée franque au col de Roncevaux. Il devient au XIIe siècle un héros légendaire, neveu de Charlemagne, et un modèle pour tous les chevaliers chrétiens.

Les premiers capétiens

Charlemagne disparu, son empire lui survit peu de temps. En 1843, ses trois petits-fils le partagent au traité de Verdun.

L'Occident se morcelle alors en une multitude de royaumes et de principautés alors qu'il subit de nouvelles invasions.

d'or ou confient la défense des populations à des chefs locaux énergiques qui organisent la résistance. En 911, le roi Charles le Simple, par le traité de Saint-Clair-sur-Epte, doit laisser aux Normands les terres qu'ils occupent à l'ouest pour prix de la tranquillité du royaume. Leur chef Rollon lui prête serment de fidélité après s'être converti au christianisme. Ainsi est né le duché de Normandie.

Les navires de Guillaume le Conquérant, utilisés par les Normands pour la conquête de l'Angleterre en 1066, étaient identiques aux drakkars vikings. Ces embarcations à fond plat étaient capables de remonter les fleuves avec 60 hommes, guerriers et rameurs.

Les invasions normandes

Entre 814 et 950, l'Europe est attaquée de tous côtés. De l'est viennent les Hongrois ou Magyars, qui font de profondes incursions en Bourgogne, atteignent Orléans et pillent les vallées de la Saône et du Rhône. Au sud, les côtes de Provence et du Languedoc sont ravagées par des pirates sarrasins venus d'Afrique du Nord.

Le péril le plus grand aparaît à l'ouest avec les raids maritimes des Vikings ou Normands (les « hommes du Nord »), qui répandent la terreur sur les côtes d'Angleterre et de France. Venus du Danemark et de Norvège, ces marins intrépides, qui avaient atteint l'Islande et les côtes du Canada, remontent les fleuves et les rivières sur leurs bateaux à faible tirant d'eau mus à la voile ou à la rame, pour piller villes et monastères. Leurs expéditions annuelles, imprévisibles et brutales, sont alors facilitées par la fuite des populations terrorisées et les guerres entre princes carolingiens, qui empêchent toute résistance organisée. Entre 845 et 895 les Normands font ainsi quatre fois le siège de Paris. Le plus souvent, les rois carolingiens, débordés, préfèrent acheter leur départ à prix

Un monde nouveau

Le Xe siècle a été, dit-on, un siècle de fer. Mal dirigé par des rois carolingiens de plus en plus faibles, le royaume est alors submergé par la violence : celle des envahisseurs normands, sarrasins, hongrois, et celle des seigneurs, qui par leur guerres continuelles, ruinent les populations et les poussent au désespoir. Le meurtre, le pillage sont devenus à cette époque choses courantes. La loi du plus fort, du plus violent, est le plus souvent la meilleure.

Un moine, Raoul Glaber, a décrit les craintes et les angoisses des habitants de l'an mille, qui, frappés par le chiffre même, voyaient dans les calamités du siècle les signes annonciateurs de la fin du monde. A cause de ces écrits, on a prétendu que l'an mille avait été un moment de malheurs.

Pourtant malgré ces craintes, l'an mille est marqué par la puissance d'un monde nouveau. Les invasions ont pris fin. Le royaume s'est couvert de sites fortifiés et de châteaux à motte, qui permettent aux seigneurs locaux de tenir le pays et d'imposer plus durement les populations placées sous leur protection. C'est également à cette époque que naît le village moderne. Les paysans se regroupent autour de l'église paroissiale entourée par le cimetière.

Un royaume émietté

C es invasions ont affaibli l'autorité des rois carolingiens incapables de protéger la population. Celle-ci se tourne vers les chefs locaux, comtes, ducs et marquis dont la puissance grandit. Certains réussissent à se rendre de plus en plus indépendants et à constituer de petits royaumes ou principautés héréditaires sur lesquelles ils exercent des pouvoirs régaliens (droit de justice, de contrainte, de battre monnaie) transmis jadis par les Carolingiens à un de leurs ancêtres. Seul le serment de fidélité prêté au roi les relie encore de façon ténue à la dynastie régnante. Quelques-uns n'hésitent pas à leur disputer la couronne royale.

C'est le cas des Robertiens, une puissante famille d'Ile-de-France. En 866, leur chef Robert le Fort repousse victorieusement les Normands. Son fils Eudes, comte de Paris, est choisi comme roi en 888 pour la bravoure dont il a fait preuve lors du siège de sa ville par les Normands. Un siècle plus tard, en 987, un de ses descendants, Hugues Capet, est élu roi de France à Senlis par l'assemblée des grands du royaume à la place du dernier Carolingien. Cette date marque l'avènement d'une nouvelle dynastie, celle des Capétiens.

Des débuts modestes

L es premiers Capétiens règnent sur un grand royaume dont les limites issues du partage de Verdun sont, au nord et à l'est, l'Escaut, la Meuse, la Saône et le Rhône. On y parle alors des langues différentes : langue d'oc au sud, langue d'oïl au nord. L'autorité capétienne cependant ne s'exerce pas sur tout le territoire. Une douzaine de grands seigneurs comme les ducs de Normandie, comte de Flandre, duc d'Aquitaine ou d'Anjou sont tout-puissants dans leurs domaines beaucoup plus vastes que celui du roi de France : le domaine royal se réduit alors à une étroite bande de terre entre Compiègne et Orléans. Il a l'avantage cependant d'être situé au cœur du royaume dans une région riche et peuplée.

Les quatre premiers Capétiens, Hugues Capet (987-996), Robert le Pieux (996-1031), Henri Ier (1031-1060) et Philippe Ier (1060-1108) sont des rois effacés et contestés par les seigneurs de leur propre domaine. Ils doivent en outre lutter contre leur puissant voisin, le duc de Normandie, qui, après l'invasion de 1066 par Guillaume le Conquérant, est devenu roi d'Angleterre.

Les Capétiens réussissent néanmoins à imposer lentement leur autorité. Ils ont rendu la couronne héréditaire en faisant élire leur fils aîné de leur vivant et en l'associant au pouvoir. Si les grands seigneurs sont bien souvent plus puissants qu'eux, ils sont pourtant les seuls héritiers du prestige du sacre. Traditionnellement oints de l'huile sainte par l'archevêque de Reims, ils sont ainsi devenus rois par la volonté

Les Normands

Marins accomplis, explorateurs intrépides et habiles constructeurs de bateaux, les Vikings quittèrent leurs pays d'origine (Danemark, Suède, Norvège) aux IXe et Xe siècles et débarquèrent un peu partout sur les côtes européennes, ravageant et pillant villes et monastères.

Les rois carolingiens, ne parvenant pas à les chasser, doivent accepter que certains d'entre eux se fixent sur le territoire qu'ils occupaient. Ainsi est née la Normandie, le pays des « hommes du Nord », donnée par Charles le Simple au Viking Rollon (911).

Rapidement le duché de Normandie devient un état puissant et les conquérants se convertissent et adoptent les mœurs et la langue des Francs sans pour autant perdre le goût de l'aventure : en 1066, une expédition, dirigée par Guillaume le Conquérant, se rend maître de l'Angleterre, d'autres expéditions permettent la création, en Italie du sud et en Sicile, d'un important royaume longtemps réputé pour sa richesse et sa tolérance.

de Dieu et peuvent, dit-on, guérir les écrouelles par simple imposition des mains. Ils ne prêtent hommage à personne, mais tous les seigneurs du royaume doivent leur prêter serment de fidélité et peuvent faire appel à leur justice. Ils bénéficient enfin du soutien de l'Église soucieuse d'interdire les guerres privées et d'imposer la paix aux seigneurs.

C'est sous le règne de Louis VI le Gros (1108-1137) bien conseillé par Suger, abbé de Saint-Denis, que les rois capétiens réussissent à imposer leur autorité et commencent à agrandir le domaine royal.

Ce fragment de la tapisserie de Bayeux brodée au XIe siècle représente le serment de fidélité du comte Harold au duc de Normandie Guillaume le Conquérant. Son non-respect est à l'origine de la conquête de 1066.

La féodalité

Au Xe siècle, les troubles provoqués par les invasions normandes, hongroises et sarrasines ont créé un état permanent d'insécurité. Exposée aux violences, aux désordres, aux brigandages et aux famines, la population vit dans la peur. Devant la faiblesse du pouvoir royal qui ne parvient plus à assurer la défense du pays, chacun se tourne vers celui qui, sur place, est suffisamment riche et puissant pour le défendre. En échange, il lui jure fidélité, se bat pour lui contre l'assaut d'un envahisseur ou l'avidité d'un seigneur voisin, accepte sa loi. Ces liens personnels d'homme à homme constituent la féodalité.

Les châteaux forts

Pour assurer la défense de leur domaine et des hommes qui se sont placés sous leur protection, les seigneurs font construire des maisons fortifiées où gens et bêtes peuvent se réfugier en cas de danger.

Les premiers châteaux forts sont de simples tours de bois élevées sur une hauteur naturelle ou sur une « motte » de terre artificielle. Un fossé et une palissade en bois entourent le donjon et le protègent d'une éventuelle attaque. Il faut à l'époque vingt jours de travail et une centaine de paysans pour édifier un tel château. Celui-ci, à partir du XIe siècle, devient pour le seigneur à la fois un refuge et le symbole de sa puissance et de son indépendance. Aussi ces constructions se multiplient-elles. Aux XIe et XIIe siècle, l'amélioration des techniques et surtout l'utilisation plus grande de la pierre font de ces constructions de véritables forteresses.

Le contrat féodal

A la fin du Xe siècle presque tous les propriétaires et seigneurs fonciers se trouvent engagés dans des liens de fidélité personnelle à l'égard d'un ou plusieurs personnages plus puissants qu'eux. Entre le seigneur, le suzerain*, et son vassal* se créent des obligations réciproques :

le seigneur assure à son vassal protection, justice et octroi d'un fief, généralement une terre, qui, à la mort revient en principe au seigneur. En fait le fief est devenu rapidement héréditaire. Souvent, pour agrandir leurs possessions, des vassaux ont prêté serment à plusieurs seigneurs, qui leur ont accordé chacun d'autres fiefs. Devant les difficultés rencontrées en cas de guerre entre ces seigneurs, on a pris l'habitude de distinguer un seigneur-lige, celui que l'on doit servir en premier.

En échange, le vassal doit à son seigneur conseil, aide militaire (40 jours par an) et aide financière lorsqu'il arme son fils aîné chevalier, marie sa fille aînée ou est captif. Ce contrat moral ne cesse qu'à la mort d'un des deux contractants ou si l'un des deux ne remplit pas ses obligations.

Une société très hiérarchisée

La société féodale est organisée selon un schéma qui s'impose dès le XIe siècle. Elle se divise en trois grands groupes :

— Au sommet, les hommes d'Église qui prient pour assurer le salut de tous. Parmi eux, on distingue « ceux qui vivent dans le siècle » (évêques, chanoines, curés) et forment le clergé séculier, et ceux qui vivent dans des monastères selon une règle (abbés, moines) et constituent le clergé régulier.

— En dessous ceux qui combattent, c'est-à-dire les chevaliers*. Ils ont la charge de défendre les hommes et d'assurer les biens. La guerre est leur principale activité. En temps de paix, ils s'entraînent au combat et consacrent leurs loisirs à la chasse et aux tournois. Leur idéal est la générosité, la loyauté, le courage et le respect de la parole donnée. Chrétiens, ils doivent protéger les faibles, défendre l'Église et la foi catholique.

— Enfin, ceux qui travaillent, c'est-à-dire la grande majorité des paysans, pour entretenir les gens d'Église et les gens de guerre. La plupart dépendent d'un seigneur et vivent dans le cadre d'une seigneurie. Celle-ci est généralement divisée en deux. Une partie des terres réservée au seigneur forme son domaine (la réserve). Le reste (tenures) est partagé entre les paysans libres (vilains) et les paysans non libres (serfs) qui cultivent les terres du seigneur. Les

Monté sur un destrier, rapide cheval de combat, le chevalier porte un armement lourd et coûteux : boucliers, haubert (cotte de mailles en fer), heaume (casque), épée à double tranchant et lance avec laquelle il désarçonne son adversaire.

terres libres ou alleux sont rares sauf dans le Midi. Les paysans doient payer au seigneur de nombreuses redevances en argent ou en nature (cens, champart) et sont astreints à des corvées. Soumis à l'autorité (le ban) du seigneur, ils paient également des banalités pour utiliser son four, son moulin ou son pressoir.

Une telle division de la société sera abolie huit siècles plus tard dans la nuit du 4 août 1789.

Les ordres monastiques

L'idée d'une vie religieuse commune est prêchée par Benoît de Nursie, un noble italien retiré du monde, qui fonde, au début du VIe siècle, un monastère au sud de l'Italie. Il rédige pour ses moines une règle stricte fondée sur la pauvreté et la chasteté, le travail et la prière. C'est la Règle bénédictine, qui deviendra par la suite la base du monachisme de l'Occident médiéval.

Les fondations bénédictines se sont multipliées sous l'impulsion du pape Grégoire le Grand. Leur bonne gestion et leur organisation incitent les rois francs à favoriser leur implantation.

Devenus trop riches, les monastères se détournent progressivement de la Règle bénédictine. De nouveaux ordres monastiques font alors leur apparition. Le plus célèbre est celui de Cluny fondé en Bourgogne en 910, qui étend rapidement son influence à l'ensemble de l'Occident chrétien. A la fin du Xe siècle, l'ordre compte près de 1 500 abbayes soit plus de 10 000 moines. Mais dès le XIe siècle, l'ordre est à son tour critiqué pour son immense richesse. En 1098 est fondé en Bourgogne un autre monastère à Cîteaux par saint Bernard, qui réclame une application plus stricte de la règle de saint Benoît. L'ordre cistercien rassemble à la fin du XIIe siècle 1 400 abbayes. Cependant, au siècle suivant ces ordres ne répondront plus aux aspirations du moment où les villes sont en plein essor. De nouveaux ordres font alors leur apparition, celui des Frères Mineurs ou Franciscains fondé par François d'Assise, un Italien, et celui des Frères Prêcheurs ou Dominicains créé par Dominique, un Espagnol. Ces ordres mendiants renoncent à la solitude et vivent en ville de charité.

Au Moyen Age, les moines partagent leur temps entre le travail des champs, la copie des textes latins, le chant et la prière. Nous leur devons l'évangélisation des campagnes, le défrichement et la mise en culture de nouvelles terres et la sauvegarde des textes de l'Antiquité.

Dès son enfance, le futur chevalier apprend à monter et à se battre souvent comme écuyer au service d'un seigneur. Vers 18 ans, il est fait chevalier par la cérémonie de l'adoubement. Un seigneur, qui est son parrain, lui remet ses armes avant de lui frapper violemment la nuque : c'est la colée.

Les croisades

Au début du XIe siècle, les Turcs Seldjoukides, population nomade du nord de l'Iran récemment convertie à l'islam, s'emparent de Jérusalem aux mains des Arabes depuis 637.

Bientôt, une rumeur se répand au sein de la chrétienté occidentale : les pèlerins ne pourraient plus se rendre librement, comme par le passé, en Terre Sainte et seraient persécutés. Des récits, plus ou moins imaginaires, font part de massacres. L'émotion est grande car le sentiment religieux est alors très vif. Soucieuse de défendre son empire, Byzance demande aide au pape. L'idée d'une expédition militaire des chevaliers occidentaux pour défendre les Lieux Saints commence à faire son chemin.

Sur les terres conquises aux musulmans, de nouveaux royaumes se constituent ; tous sont bâtis sur le modèle féodal. Mais cette mosaïque de petits royaumes doit faire face aux assauts répétés des armées turques. Aussi, pour se défendre, les chrétiens édifient-ils des châteaux forts dont le plus célèbre, le krak des Chevaliers, est défendu par des moines soldats, les Hospitaliers. Deux autres ordres militaires, les chevaliers teutoniques et les templiers, assurent une grande part de la défense... Pourtant, Jérusalem est reprise par les troupes de Saladin (1187) et de très nombreux chevaliers sont capturés.

De nouvelles croisades sont organisées. Des souverains aussi prestigieux que Philippe Auguste, Richard Cœur de Lion, l'empereur d'Allemagne Frédéric Barberousse et, beaucoup plus tard, le roi Saint Louis partent pour défen-

Délaissant la route terrestre, longue et périlleuse, les croisés empruntent dès la troisième croisade la voie maritime plus courte en partant des ports italiens (Venise, Gênes) ou français (Aigues-Mortes).

A la tête d'une armée regroupant les chevaliers des régions de la Meuse et du Rhin, Godefroy de Bouillon s'empare de Jérusalem en 1099 et massacre une partie de la population. Il fonde un royaume dont son frère hérite en 1100.

En 1095, au concile de Clermont en Auvergne, le pape Urbain II propose aux chevaliers présents d'aller délivrer Jérusalem et promet le pardon de leurs péchés à tous ceux qui partiront.

L'appel du pape déclenche l'enthousiasme. Aux cris de « Dieu le veut ! », la plupart des assistants font vœu de partir et cousent, en signe de ralliement, une grande croix rouge sur leurs vêtements ; on les désigne alors par le nom de croisés*.

Tandis que les chevaliers s'organisent pour le départ, une foule de pèlerins, enflammée par des prédicateurs, tel le célèbre Pierre l'Ermite, se met aussitôt en route pour Jérusalem. Beaucoup le font sans esprit de retour, vendant leurs maigres biens à bas prix, chargeant femmes et enfants sur des chariots attelés à des bœufs. Indisciplinée, sans vivres et sans argent, cette « croisade des pauvres » se livre en chemin à des pillages et des massacres, notamment contre les communautés juives d'Allemagne. Parvenue tant bien que mal en Asie Mineure, elle sera décimée dès la première escarmouche par les Turcs.

Mieux organisée, la croisade des chevaliers s'ébranle une année plus tard. Elle prend pied en Palestine et s'empare de Jérusalem le 14 juillet 1099.

dre les royaumes d'Orient, mais échouent. Les dernières expéditions, mal organisées, s'épuisent en combats inutiles. La lassitude gagne les esprits. La dernière place forte, Saint-Jean-d'Acre, tombe en 1291, mettant un point final aux croisades.

Les croisades ont certes échoué militairement, puisqu'il ne reste rien des conquêtes à la

L'amour courtois

Les croisades et les contacts avec la civilisation de l'islam ont progressivement adouci les mœurs des chevaliers souvent durs, violents et cruels. Au château, le goût de mieux vivre apparaît. La nourriture s'affine et donne une plus grande part aux fruits et aux épices. Les vêtements deviennent plus raffinés. Le goût de la parure se généralise. Le mépris des lettres, propre aux seigneurs des Xe et XIe siècles, s'atténue. Au XIIe siècle, le chevalier est souvent avide de distractions littéraires et de poésie.

Au nord, dans le domaine de la langue d'oïl, les trouvères* content les exploits des chevaliers dans des chansons de geste*. Au sud de la Loire, en pays de langue d'oc, les troubadours* chantent l'amour et le respect de la femme. Ainsi est né, à la cour d'Aliénor d'Aquitaine, l'amour courtois : le chevalier fait « hommage » à sa « dame » de son amour et lui voue la même fidélité qu'un vassal à son suzerain.

La lutte contre les cathares

Introduite en Europe vers 1150 par des seigneurs revenus de la deuxième croisade, l'hérésie* cathare — qui signifie pur — fait de nombreux adeptes dans le Languedoc et la région d'Albi, d'où le nom d'albigeois. Ceux-ci pensent que tout ce qui est matériel est mauvais et vient du diable. Leur idéal les oblige à nier la divinité du Christ, à refuser tous les sacrements de l'Église et à remplacer ces derniers par d'autres qui leur sont propres. Leurs prêtres, les parfaits*, vivent en ermites dans le célibat et la pauvreté. Les adeptes ou croyants ne sont soumis à aucune obligation particulière. Une fois dans leur vie, généralement à l'article de la mort, ils obtiennent le pardon de leurs péchés par une imposition des mains, le *consolamentum**, faite par les parfaits. Cette hérésie bénéficie dans le midi de la France de l'appui des seigneurs locaux et de la tolérance du plus puissant d'entre eux, le comte de Toulouse.

La papauté essaie d'abord de freiner le développement de cette hérésie, mais elle échoue. Le pape Innocent III prêche alors la croisade (1207). Une armée de seigneurs et de barons originaires du nord de la France est placée sous le commandement d'un des leurs, Simon de Montfort. Celui-ci, après avoir mis le pays à feu et à sang et défait à Muret (1213) les armées de Pierre II d'Aragon arrivées en renfort, s'empare des biens de Raymond VI, comte de Toulouse.

La mort brutale de Simon en 1218, au cours d'une révolte de la ville de Toulouse, provoque la débandade des croisés. Découragé, le fils de Simon, Amaury, cède tous ses domaines et ses droits au roi de France qui agrandit ainsi son royaume.

L'hérésie cathare subsistera jusqu'en 1244 : le château de Montségur, dernier bastion, se rend après un très dur siège de dix mois.

fin du XIIIe siècle, mais elles ont eu l'avantage de rompre l'isolement de l'Occident tant sur le plan économique (les monnaies d'or circulent à nouveau), que sur les plans artistique et intellectuel : les frustes chevaliers, éblouis par le raffinement de la civilisation musulmane, en ramèneront des bribes qui sont à l'origine d'un renouveau artistique.

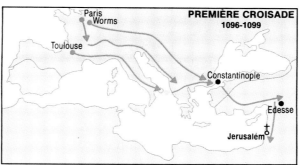

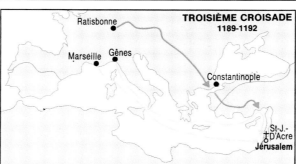

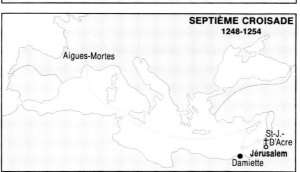

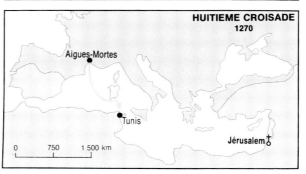

Les croisades

Les croisades s'étendent sur plus de deux siècles, de la fin du XIe siècle à la fin du XIIIe siècle. On dénombre huit expéditions principales ayant chacune des participants, des moyens, des buts bien différents : les intérêts des rois, des princes et même des marchands prennent de plus en plus le pas sur la défense de la foi.

La première croisade, levée dans un élan de ferveur, gagne Byzance puis réussit à passer en Syrie et en Palestine, fait le siège de Jérusalem et conquiert la ville sainte. Les chefs de la croisade se taillent des principautés qui se rallient, pour un temps, au royaume de Jérusalem, mais les querelles reprennent et les barons ne peuvent résister longtemps aux musulmans : Edesse est reprise en 1144.

La seconde croisade, prêchée par saint Bernard en 1146, ne parviendra pas à libérer Edesse.

La troisième croisade est provoquée par la réunification de l'Égypte, de la Syrie et de la Mésopotamie sous le pouvoir de Saladin. L'empereur Frédéric Barberousse, le roi de France Philippe Auguste et le roi d'Angleterre Richard Cœur de Lion prennent la tête de la croisade mais s'entendent mal. Frédéric Barberousse meurt accidentellement et Jérusalem ne peut être reprise.

La quatrième croisade devait être dirigée contre l'Égypte, mais les croisés manquent d'argent et, pour le compte de Venise, reprennent la ville de Zara puis assiègent par deux fois Constantinople. Vainqueurs, ils oublient la croisade et se partagent l'empire, ainsi naît l'empire latin de Constantinople.

Les cinquième et sixième croisades ne sont plus des opérations militaires : l'empereur Frédéric II essaie, par la diplomatie, d'obtenir le libre accès des pèlerins aux Lieux Saints.

La septième croisade est dirigée contre l'Égypte et le roi de France Louis IX (Saint Louis) lui rend son caractère religieux. D'abord vainqueur à Damiette en 1249, Louis IX est battu et fait prisonnier l'année suivante. Délivré contre une forte rançon, il regagne la France.
En 1270, Louis IX, se croise à nouveau, et la **huitième croisade** est dirigée contre Tunis ; c'est un désastre et le roi de France y meurt de la peste.

Louis IX, ici à la tête de ses troupes, s'empare de la ville de Damiette en Égypte (1249), mais devra la restituer un an plus tard aux musulmans comme partie de sa rançon après sa capture.

Le temps des cathédrales

A partir de la fin du Xᵉ siècle, le pays n'a plus à craindre les invasions. Aussi, la vie économique renaît-elle peu à peu dans les campagnes comme dans les villes et s'accompagne

bientôt d'un puissant élan artistique et religieux qui permet la construction de grandes cathédrales restées parmi les chefs-d'œuvre de l'art roman et gothique.

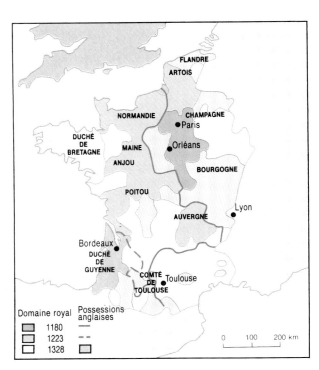

Les acquisitions capétiennes

L'essor rural

Une main-d'œuvre plus abondante et une amélioration sensible des techniques et de l'outillage permettent un début d'industrialisation. Ainsi l'utilisation du moulin à eau, puis du moulin à vent, libère de nombreux bras. L'araire a, peu à peu, été remplacé par la charrue à soc métallique et à versoir, qui laboure plus profond ; les techniques d'attelage se sont perfectionnées grâce à l'emploi du collier d'épaule qui, ne gênant plus la respiration du cheval, accroît son rendement et rend possible son utilisation pour les gros travaux agricoles. Le rendement des terres est amélioré grâce à l'assolement triennal*, c'est-à-dire à la rotation des cultures (une années en céréale — blé, orge et seigle —, la suivante en pois, en avoine ou en houblon, la troisième, la terre reste inculte, en jachère*).

Du XIᵉ au XIIIᵉ siècle, les surfaces cultivées augmentent sensiblement. Sous l'impulsion des monastères et de puissants seigneurs, des groupes de paysans agrandissent les terroirs* en défrichant la forêt, en aménageant les marais côtiers, comme en Flandre. Dans le même temps, des cultures spécifiques telles que la

vigne, le chanvre, la garance se développent sur des territoires limités. C'est au cours de ces deux siècles que se sont formés les paysages ruraux que nous connaissons encore aujourd'hui. De nouveaux villages se créent et se peuplent de paysans libres (vilains) et d'anciens serfs, car souvent le servage y est aboli. Dans le même temps, pour maintenir leurs paysans sur leurs terres, certains seigneurs doivent consentir à l'abolition du servage, qui disparaît pratiquement au cours du XIIIᵉ siècle.

Le réveil des villes

L'amélioration des conditions de vie, la renaissance des activités commerciales favorisent les échanges et la vie de relation. Pèlerins, marchands, transporteurs de denrées et de matériaux circulent en nombre croissant, entraînant le développement des moyens de transport et, en contrepartie, l'établissement par les seigneurs locaux de nombreux péages*. Des ponts en bois, puis en pierre, sont construits à Albi, Paris, Rouen, Cahors et Avignon, des ports sont aménagés en Flandre à Gravelines, Dunkerque et Calais. Les églises des premiers siècles sont remplacées par des édifices plus vastes, construits en forme de croix et couverts de voûtes en berceau.

Fait significatif, la monnaie, qui avait pratiquement disparu au Xᵉ siècle, circule à nouveau. Les villes connaissent un regain d'activité et de nouveaux quartiers, situés hors des murailles d'enceinte, se créent. C'est dans ces bourgs que se regroupent marchands et artisans. Certaines régions se spécialisent dans une activité industrielle comme la production d'étoffes et de draps de laine en Flandre. Des foires, telles celles de Champagne, assurent les échanges entre le sud et le nord de l'Europe. Soumis au pouvoir des seigneurs, les marchands et artisans — on les appelle alors bourgeois — en viennent, pour se défendre, à se grouper en associations ou guildes*. Devenus riches et puissants, ils parviennent à arracher, souvent il est vrai moyennant finances, une charte des libertés qui fixe leurs droits et ceux du seigneur. Cette « révolution communale » permet aux XIIIᵉ et XIVᵉ siècles aux bourgeois de prendre en charge l'administration de leur

Saisons et travaux des champs rythment la vie des hommes du Moyen Age. Après les semailles d'octobre (en haut), les paysans passent l'hiver au chaud dans des masures de bois ou de pisé. La bouillie de céréales est la base de leur alimentation. Viande et poisson ne sont consommés qu'aux grandes fêtes religieuses.

cité. Les villes, riches et prospères, s'embellissent de nouveaux édifices. C'est l'époque des grandes cathédrales gothiques.

Affermissement du pouvoir royal

L a dynastie capétienne se renforce sous les règnes de Louis VI et Louis VII. Ce dernier, grâce à son mariage avec l'héritière du duché d'Aquitaine, Aliénor, étend son influence au sud de la France. Mais la répudiation de sa femme et le remariage de celle-ci avec Henri Plantagenêt, le puissant duc d'Anjou, duc de Normandie et futur roi d'Angleterre, entraîne la formation d'un royaume anglo-angevin aussitôt combattu par les Capétiens. Ceux-ci, de 1200 à 1270, réussissent à étendre considérablement le domaine royal en s'emparant de la plus grande partie des biens des Plantagenêts et du comte de Toulouse. L'autorité royale s'affermit grâce à la création d'officiers royaux, les baillis* et les sénéchaux* qui transmettent ses ordres. Paris, capitale du royaume depuis que Philippe Auguste y a fixé sa résidence, dépasse alors les 80 000 habitants. Le prestige de ses écoles et de son université fait de la ville un des grands centres intellectuels de la chrétienté. Philippe IV le Bel, dernier des grands Capétiens, et ses conseillers, après avoir durement humilié la papauté, affirment que le roi est « empereur en son royaume ».

Puis vient le temps des récoltes :
les fleurs en avril,
le blé battu au fléau en août,
le raisin foulé aux pieds
en septembre.

Avec le développement des villes au XIIe siècle, la cathédrale devient le symbole et la fierté de la cité. L'évêque collecte l'argent des fidèles, recrute l'architecte et dirige la construction. Différents corps de métiers travaillent sur le chantier qui peut durer plus de cinquante ans.

La guerre de Cent Ans

En 1328, le dernier fils de Philippe IV le Bel meurt sans héritier mâle. Deux prétendants briguent la couronne de France : Édouard III, roi d'Angleterre, petit-fils du roi Philippe le Bel par sa mère, et Philippe de Valois, neveu de Philippe le Bel. Une assemblée de grands seigneurs et de nobles choisit ce dernier, parce

qu'il « était né du royaume ». Vassal du roi de France pour ses possessions de Guyenne, Édouard III consent à lui prêter hommage (1329), mais la tension demeure vive entre les deux souverains. Un conflit finit par éclater en 1337, lorsque Philippe VI de Valois prononce la confiscation de la Guyenne.

Les succès anglais

É douard III détruit la flotte française prisonnière des glaces dans le port flamand de l'Écluse et s'assure la maîtrise de la mer. En 1346, il débarque en Normandie et ravage le pays, du Cotentin à la Picardie. Poursuivi par l'armée française, il l'écrase à Crécy dans la Somme : la lourde chevalerie française, avec ses armures de 35 kg, est décimée par les traits des archers anglais. Puis, après un long siège, le roi s'empare de Calais qui deviendra, pour deux siècles, une tête de pont anglaise sur le continent. Une trêve suspend les hostilités.

Une catastrophe frappe alors l'Europe entière : en 1348, la peste noire atteint le royaume faisant des ravages énormes.

Louis XI dut faire face à des révoltes fomentées par les princes regroupés autour de Charles le Téméraire. Après une bataille indécise à Montlhéry en 1465, il fut contraint de distribuer des provinces aux ligueurs.

Jeanne d'Arc

Jeanne est née en janvier 1412 à Domrémy. Très pieuse, elle aurait entendu à l'âge de treize ans des voix qui lui ordonnaient de chasser les Anglais et de faire sacrer Charles à Reims. Ayant réussi à gagner la confiance du roi, elle prend la tête d'une armée et délivre Orléans assiégée par les Anglais (mai 1429). Elle conduit ensuite Charles à Reims où il est sacré roi de France. Elle poursuit le combat contre les Anglais et cherche à délivrer Paris ; elle échoue. Faite prisonnière en 1430 par les Bourguignons lors du siège de Compiègne, elle est livrée aux Anglais qui la font juger par un tribunal de l'Inquisition. Elle est condamnée au bûcher comme sorcière et brûlée vive à Rouen le 30 mai 1431.

En 1356, le prince de Galles, surnommé le prince Noir à cause de son armure, écrase le nouveau roi de France, Jean II le Bon (1350-1364), près de Poitiers et le fait prisonnier ainsi que son plus jeune fils. Le dauphin Charles doit faire face en même temps à une révolte des bourgeois de Paris conduite par le prévôt* des marchands, Étienne Marcel, et à celle des « Jacques », c'est-à-dire des paysans révoltés de Picardie et d'Ile-de-France. Il doit aussi se défendre contre les intrigues de son cousin le roi de Navarre, Charles le Mauvais.

En 1360, la paix est signée avec les Anglais à Calais. Jean II le Bon est libéré contre une rançon de trois millions d'écus d'or et doit céder le tiers de son royaume.

Le redressement français

D evenu roi de France en 1364, Charles V s'attache à restaurer le pouvoir royal. Il met de l'ordre dans les finances et obtient la levée d'impôts réguliers. Il réorganise son armée et en confie la direction à un petit noble breton, Bertrand Du Guesclin, dont il fera son connétable* en 1370.

La guerre avec l'Angleterre reprend en 1369. Les Anglais perdent la plupart de leurs posses-

La supériorité des archers anglais sur les arbalétriers français est à l'origine des succès anglais au début de la guerre de Cent Ans aussi bien sur mer que sur terre.

sions et, à la mort de Charles V, ils ne tiennent plus que Calais, Cherbourg et la région bordelaise : ils sont contraints d'accepter une trêve.

Le temps des princes

Charles VI laisse d'abord gouverner ses oncles. A partir de 1388, le roi décide de gouverner seul et rappelle les anciens conseillers de son père. Mais en 1392 ses oncles profitent de sa folie pour revenir au pouvoir. Or leurs intérêts propres, la richesse de leurs maisons, l'agrandissement de leurs territoires, les préoccupent plus que le royaume. Ainsi, le duc de Bourgogne se heurte au frère du roi, Louis d'Orléans, et le fait assassiner (1407).

C'est le début d'une véritable guerre civile qui oppose les partisans du duc de Bourgogne à ceux du duc d'Orléans, regroupés autour du comte d'Armagnac.

Le nouveau roi d'Angleterre, Henri V, profite de la situation ; en juin 1415, il débarque en Normandie et taille en pièces la chevalerie française à Azincourt, avant de conquérir la Normandie (1417-1419). A la suite de l'assassinat de Jean sans Peur à Montereau par les Armagnacs (1419), il noue alliance avec les Bourguignons et obtient au traité de Troyes (1420) d'être reconnu par le roi Charles VI comme le seul héritier au trône de France.

La reconquête française

Refusant d'être déshérité, le dauphin se retire au sud de la Loire. A la mort de son père, il se proclame roi de France et poursuit la guerre contre les Anglais. L'intervention de Jeanne d'Arc à ses côtés est décisive et lui permet d'être sacré à Reims : désormais Charles VII

est le seul roi légitime. En 1435, le duc de Bourgogne, Philippe le Bon, abandonne la cause anglaise et se réconcilie avec lui. Une trêve conclue avec les Anglais permet à Charles VII de réorganiser son armée et de reconquérir successivement la Normandie et la Guyenne (1449-1451). La chute de Bordeaux (1453) ne laisse plus que Calais aux mains des Anglais.

La guerre finie, le roi entreprend la reconstruction du pays et renforce le pouvoir royal. Son œuvre sera poursuivie par son fils Louis XI (1461-1483), qui réussira, après une longue lutte, à abattre le duc de Bourgogne, Charles le Téméraire, et s'emparera, à sa mort (1477), de ses domaines français (duché de Bourgogne et de Picardie). Le mariage du dauphin, le futur Charles VIII, avec Anne de Bretagne parachève l'unité en favorisant le rattachement de la Bretagne au domaine royal.

La peste noire

Cette même année 1348, à Paris et dans tout le royaume de France, il y eut une telle mortalité de gens de l'un et l'autre sexe, plutôt les jeunes que les vieux, qu'on pouvait à peine les ensevelir ; ils n'étaient malades que deux ou trois jours et mouraient rapidement, le corps presque sain.

JEAN DE VENETTE,
Chroniques Latines

La France pendant la guerre de Cent Ans

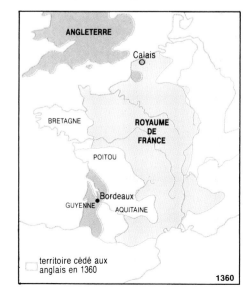

territoire cédé aux anglais en 1360

1360

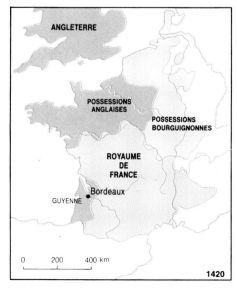

0   200   400 km

1420

La Renaissance

Au cours de la seconde moitié du XVᵉ siècle, des états puissants, modernes par leurs structures, se constituent en France où Charles VII et Louis XI triomphent de la féodalité, en Angleterre autour de la dynastie des Tudors, en Espagne où Isabelle et Ferdinand, après avoir chassé les Maures, font l'union de la Castille et de l'Aragon.

Cette paix retrouvée coïncide avec une vigoureuse reprise économique et un mouvement culturel et artistique qui ira s'intensifiant et marquera tout le XVIᵉ siècle.

La redécouverte de l'antiquité gréco-romaine, la diffusion des œuvres grâce à l'invention de l'imprimerie, le développement de l'esprit critique, la multiplication des écrits en langue vulgaire donnent naissance à l'humanisme (du latin humanus qui signifie cultivé).

Dans le même temps, les arts, en particulier les arts plastiques, connaissent un renouveau, la Renaissance. La perspective, la couleur, le corps humain font leur apparition dans la peinture... Ce même corps humain que les recherches médicales d'un Ambroise Paré, par exemple, aident à connaître, à soulager.

Dans le même temps l'horizon des hommes s'élargit : des découvertes techniques (gouvernail d'étambot, astrolabe, boussole...) permettent d'entreprendre des voyages océaniques lointains : Christophe Colomb découvre l'Amérique en 1492 ; de 1519 à 1522 Magellan accomplit le premier tour du monde, apportant ainsi la preuve de la rotondité de la Terre.

Le royaume de François Ier et Henri II

Charles VIII (1483-1498) cherche, comme son père, à donner de nouvelles terres à la couronne. Mais, esprit aventureux et romanesque, il veut faire valoir ses droits, fort douteux, sur le royaume de Naples et croit s'assurer la

neutralité de ses rivaux en leur rendant des provinces qu'avait annexées Louis XI : au roi Ferdinand d'Aragon il restitue le Roussillon, à Maximilien d'Autriche l'Artois et la Franche-Comté.

Passionné d'armes et de gloire militaire, cultivé et amateur d'art, le roi François Ier (à gauche) est le premier à introduire en France la Renaissance italienne. Austère et pieux, son fils Henri II (à droite) devait réagir avec vigueur au développement de la Réforme en France.

Les guerres d'Italie

E n septembre 1494, Charles VIII franchit les Alpes à la tête d'une puissante armée (trois mille hommes) et traverse, sans rencontrer de résistance, toute la péninsule. Il est accueilli triomphalement à Rome puis à Naples, où il se fait couronner, mais il doit rapidement faire face à une véritable coalition regroupant Venise, la papauté, Maximilien d'Autriche et Ferdinand d'Aragon. Les troupes françaises ont grand mal à se frayer le chemin du retour.

Peu après, Charles meurt accidentellement et Louis XII (1498-1515), poursuivant sa politique d'intervention en Italie, veut faire valoir ses droits sur le duché de Milan dont il se dit héritier par sa grand-mère, Valentine Visconti, fille du duc de Milan.

Tout d'abord vainqueur, il annexe le Milanais et négocie avec Ferdinand d'Aragon le partage du royaume de Naples (1501). Puis il se brouille

avec les Espagnols qui rejettent les Français hors du royaume.

Quelques années plus tard, un nouvel épisode guerrier n'est pas plus favorable aux Français : à l'appel du pape Jules II, les Vénitiens, les États italiens, la Suisse, l'Autriche, l'Angleterre et l'Espagne forment la Sainte Ligue : les prouesses de Bayard, le Chevalier sans peur et sans reproche, et celles de Gaston de Foix, tué à la bataille de Ravenne (1512), n'empêchent pas les Français d'être évincés d'Italie du Nord. Devant les risques d'invasions, Louis XII doit conclure avec les différents belligérants une série de trêves.

Son cousin et successeur, François Ier (1515-1547), sûr de ses droits, franchit à son tour les Alpes et reconquiert le Milanais après avoir remporté sur les Suisses l'éclatante victoire de Marignan (1515). Plus sage que ses prédécesseurs, il signe avec les Suisses une « paix perpétuelle » et conclut avec la papauté le concordat* de Bologne (1516), qui restera en vigueur jusqu'à la Révolution française : évêques et abbés sont désormais nommés par le roi et reçoivent l'investiture du pape.

L'étau habsbourgeois

A peine la paix est-elle établie qu'un nouveau danger apparaît : le jeune Charles de Habsbourg — il a dix-neuf ans — se trouve par héritages successifs à la tête de la Castille et de l'Aragon (héritage maternel), de la Bourgogne et des Pays-Bas légués par son père et enfin de l'Autriche qui lui revient à la mort de son grand-père l'empereur Maximilien.

Ces possessions voisines de la France sont une menace d'autant plus grande que Charles postule, contre François Ier, le titre d'empereur du Saint Empire romain germanique. Il est élu en 1519 sous le nom de Charles Quint ; l'étau se resserre autour du royaume de France, une longue lutte commence entre les deux souverains.

François Ier ne réussit pas à obtenir l'alliance d'Henri VIII d'Angleterre ; de plus, il se brouille avec le puissant connétable de Bourbon et perd une partie de ses armées.

Bientôt le Milanais doit être abandonné et le roi est fait prisonnier à Pavie (1525). Captif en Espagne, il doit signer l'humiliant traité de Madrid par lequel il renonce à l'Italie et cède la Bourgogne. A peine libéré, il renie ses engagements, reprend la lutte et n'hésite pas à s'allier avec les princes protestants allemands et le sultan Soliman le Magnifique, au grand scandale de la chrétienté (1535).

La guerre se poursuit entre Henri II (1547-1559) et le successeur de Charles Quint, Philippe II, allié aux Anglais.

Les deux souverains, inquiets des progrès de l'hérésie protestante dans leur royaume, signeront en 1559 la paix au Cateau-Cambrésis : la France renonce définitivement à la Savoie et au Piémont, mais garde les trois évêchés (Metz, Toul et Verdun) occupés en 1552 et Calais repris aux Anglais en 1558.

La consolidation de la monarchie

L a France connaît une période de prospérité : le commerce maritime prend une réelle expansion. Le Havre est créé en 1517 ; des commerçants entreprenants, comme Jean Ango, organisent des expéditions vers le Nouveau Monde et le Malouin Jacques Cartier remonte le Saint-Laurent et explore le Canada (1534-1542) ; les institutions monarchiques sont consolidées. Grâce au rattachement de la Bretagne et de l'Angoumois, puis à la confiscation en 1523 des terres du connétable de Bourbon (Bourbonnais, Forez, Auvergne, Dombes), le domaine royal est désormais d'un seul tenant. L'ordonnance de Villers-Cotterêts (1539) en décidant que tous les actes de justice seront rédigés en français, fait reculer le latin ainsi que les dialectes sur toute l'étendue du royaume ; la poste royale, déjà mise en place sous Louis XI, connaît un réel essor et permet une plus grande centralisation.

Les assemblées sont mises en veilleuse : ainsi les États Généraux qui avaient manifesté des velléités d'indépendance durant la minorité de Charles VIII, en 1483, ne sont plus convoqués ; les Parlements qui voudraient jouer un rôle de contrôle politique, sont contraints de s'incliner devant la volonté royale ; la noblesse ne rêve plus que de pouvoir briller à la cour du roi dont

l'éclat, depuis le règne de François Ier, est incomparable ; enfin le haut clergé, après le concordat de 1516, est parfaitement docile. Le roi gouverne selon « son bon plaisir », formule apparue à partir de François Ier.

Une cour itinérante

Sous le règne de François Ier, la cour connaît un grand développement. Centre de la vie politique et mondaine, elle est, pour le roi, un moyen de surveiller sa noblesse parfois encore trop tumultueuse. La cour n'a pas de résidence fixe, ni même habituelle. Fuyant Paris et le vieux palais du Louvre, elle vit en perpétuels déplacements, allant à la suite du roi, de ville en ville, de château en château, de Fontainebleau à Amboise, de Blois à Chenonceau ou à Chambord.

Le roi est accompagné par dix ou quinze mille personnes, domestiques de l'Hôtel du roi, maison militaire (800 soldats), maisons des reines et des princes du sang, courtisans, ambassadeurs et leur suite.

Les châteaux ne sont pas tous meublés et chaque déplacement est un véritable déménagement. Les séjours royaux durent le temps d'épuiser les provisions amassées dans le château.

Par le traité de paix signé au Cateau-Cambrésis en avril 1559 avec Philippe II d'Espagne, Henri II met fin aux ambitions françaises en Italie. Cette paix cependant n'est qu'une trêve dans le long conflit qui opposera la France à la maison des Habsbourg aux XVIe et XVIIe siècles.

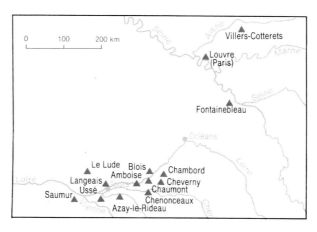

Les châteaux de la Loire

Les guerres de Religion

Apparue sous le règne de François Ier dans le milieu humaniste que protège la sœur du roi, Marguerite d'Angoulême, l'Église réformée s'étend rapidement dans le royaume et dans toutes les classes sociales. D'abord tolérée par le roi, elle se heurte à son hostilité après l'affaire des Placards (octobre 1534): des affiches contre la messe sont placardées à Paris et jusque sur la porte du roi au château d'Amboise.

En cette période de passions religieuses, protestants et catholiques rivalisent de cruauté. Aux destructions de reliques, de statues et de vitraux des églises (à droite) par les protestants, répondent les massacres organisés par les catholiques. Celui de la Saint-Barthélemy, le 24 août 1572 (ci-dessus), fait plusieurs milliers de victimes tant à Paris qu'en province.

Luther

Un moine allemand, Martin Luther, s'insurge en 1517 contre la vente des indulgences* et entre en conflit avec la papauté. Il soutient que le salut du chrétien est assuré seulement par la foi et non par les œuvres.

Suivi par de nombreux Allemands, il organise bientôt l'église luthérienne : il supprime le culte de la Vierge et des saints, dépouille les églises de leurs ornements et remplace la messe par des lectures en commun, en allemand, de la Bible qu'il a traduite, et des chants de psaumes. Il ne garde que deux sacrements : le baptême et l'eucharistie, admet le mariage des prêtres et refuse de reconnaître l'autorité du pape et des évêques.

Au Parlement de Paris, une chambre ardente* condamne au bûcher des réformés (Étienne Dolet) et des villages entiers sont même massacrés, comme en Provence. Malgré les persécutions, la doctrine de Calvin ne cesse de faire de nouveaux adeptes. Un grand nombre de nobles, surtout dans le midi et l'ouest de la France, adhèrent à la nouvelle religion. Parmi eux, Antoine de Bourbon, roi de Navarre, sa femme Jeanne d'Albret, son frère Louis de Condé et Gaspard de Coligny, apportent à la cause protestante leur clientèle, de l'argent et des appuis à la cour royale. Un puissant parti protestant huguenot* se constitue peu à peu face au parti catholique papiste* dont les chefs de file sont les Guise.

Régente du royaume durant la minorité de son fils Charles IX, Catherine de Médicis tente d'éviter les excès entre papistes et huguenots. Aidée du chancelier Michel de L'Hospital, elle essaie de pratiquer une politique de tolérance et promulgue l'édit de janvier (1562) autorisant le culte réformé dans les faubourgs des villes et dans les campagnes. Toutefois, cette mesure de pacification n'empêche pas, quelques semaines plus tard, le massacre de Wassy en Champagne.

Trente-six ans de troubles

Les protestants prennent aussitôt les armes. C'est le début d'une longue guerre civile, entrecoupée de trêves où, les passions s'exaspérant, les adversaires rivalisent de cruauté.

Souvent battus (Dreux en 1562, Jarnac et Mon-contour en 1569), les protestants parviennent cependant à obtenir par la paix de Saint-Germain (1570), la reconnaissance de leur culte et la possession pour deux ans de quatre places de sûreté (La Rochelle, Cognac, La Charité et Montauban). Un de leurs chefs, l'amiral de Coligny, entre au Conseil du roi et exerce bien-tôt une grande influence sur le jeune Charles IX.

Inquiète de cet ascendant, la reine Catherine de Médicis s'allie avec Henri de Guise, chef des papistes, et tente de faire assassiner l'amiral, qui n'est, ce jour-là, que blessé (22 août 1572).

La présence à Paris des chefs protestants venus assister au mariage d'Henri de Navarre avec la sœur du roi, Marguerite de Valois, donne l'idée aux catholiques de briser le parti protestant : le massacre de la Saint-Barthélemy (24 août 1572) est ordonné par le roi, esprit fai-ble qui ne peut résister à Catherine de Médicis et aux Guise. Près de trente mille protestants sont tués, tant à Paris qu'en province.

Ce bain de sang relance la guerre civile et compromet gravement le pouvoir monarchique. Privé de ses chefs, le parti protestant s'organise en une union calviniste (1574) et forme un véri-table État, doté d'une organisation militaire, judiciaire et financière. Le nouveau roi Henri III (1574-1589) tente sous la pression des modérés d'apaiser les protestants en leur faisant, par l'édit de Beaulieu, d'importantes concessions. Aussitôt les catholiques se regroupent dans une ligue dirigée par le duc de Guise, Henri le Balafré.

Calvin

Rallié aux thèses de Luther, un humaniste fran-çais de formation religieuse, Jean Calvin, doit quitter la France et se réfugie à Genève. Outre la justification par la foi, il prêche la prédes-tination* et affirme que l'homme est mauvais et que seul Dieu, dans sa toute-puissance, accorde aux uns sa grâce et la refuse aux autres. L'homme doit vivre selon la loi de Dieu, avec piété, justice et simplicité.

Sa doctrine se répand, à partir de Genève, dans toute la France.

La mort en 1584 du frère du roi, le duc d'Anjou, fait d'Henri de Navarre, chef du parti protestant et beau-frère du roi, l'héritier de la couronne et rallume les passions. Le pays som-bre dans le chaos. Isolé entre la ligue des Guise — soutenue par l'Espagne de Philippe II — et les protestants, le roi perd toute autorité. Contraint de fuir Paris passé aux mains des Guise, il fait assassiner Henri de Guise dans sa propre chambre à Blois et doit accepter l'alliance d'Henri de Navarre. Ils s'apprêtent tous deux à aller faire le siège de Paris, lorsqu'un fanatique, Jacques Clément, poi-gnarde Henri III qui désigne, avant de mourir, Henri de Navarre comme seul héritier. Ce der-nier, après s'être converti au catholicisme (1593) et avoir racheté, souvent à prix d'or, la soumis-sion des chefs ligueurs, parvient à reconquérir son royaume. Une fois les troupes espagnoles chassées de France, il ramène la paix religieuse en publiant, en 1598, l'édit de Nantes qui accorde aux protestants la liberté religieuse, l'égalité avec les catholiques, le droit de s'assembler et de posséder, et ce pour huit ans, une centaine de places de sûreté.

Une procession de la Ligue à Paris pendant le siège de la ville par les troupes royales, en 1590. Née en 1576 après la paix de Beaulieu favorable aux protestants, la Sainte Ligue regroupe les catholiques intransigeants sous la direction des Guise, qui songent à renverser le roi avec l'appui de l'Espagne.

La Monarchie Absolue

Le XVIIᵉ siècle paraît tout entier auréolé de l'éclat de la monarchie, et à partir de 1660 de la monarchie absolue ; éclat qui masque bien des difficultés.

Les guerres, qu'elles soient européennes comme la guerre de Trente Ans, ou purement françaises, sont longues et dures, les armées de plus en plus nombreuses sont soumises à des guerres de sièges épuisantes.

La situation financière est souvent critique et provoque des émeutes de la faim, des révoltes contre l'impôt et même des révoltes politiques comme la Fronde.

La population française, la plus importante d'Europe, reste stable, dix-huit à vingt millions d'habitants selon les estimations, mais les disettes, épidémies et famines provoquent une mortalité — principalement infantile — effrayante.

L'essor économique si puissant au XVIᵉ siècle s'essouffle et doit être soutenu par une politique protectionniste de l'État qui, de plus, cherche à s'assurer un empire colonial.

Par contre, l'administration du pays fait de grands progrès : le gouvernement est très centralisé ; le roi gouverne, assisté de grands commis qui exécutent ses ordres et administrent le pays par l'intermédiaire d'intendants réguliers et permanents.

La puissance royale est symbolisée par Versailles, œuvre collective de tous les grands artistes du temps, dirigés par le roi lui-même.

La cour, l'étiquette, deviennent un instrument de gouvernement, puisqu'elles permettent de domestiquer une noblesse jusqu'alors tumultueuse.

Le roi, enfin, impose sa marque à la vie intellectuelle et artistique qui doit, par son éclat, travailler à la gloire royale.

Henri IV et Louis XIII

La paix intérieure et extérieure aussitôt rétablie, Henri IV (1589-1610), s'attache à restaurer l'autorité royale et à reconstruire le royaume éprouvé par plus de trente années de guerres civiles. Les campagnes sont alors dévastées par des bandes armées, de nombreux villages brûlés et abandonnés, les villes dépeuplées par les massacres, la disette et les épidémies. Aux ruines matérielles s'ajoutent les ruines politiques : l'autorité royale n'étant plus respectée, les gouverneurs se comportent en véritables souverains dans leurs provinces. Les Parlements ont pris des habitudes d'indépendance et s'opposent à la royauté. Les villes ont profité des troubles pour chasser les officiers royaux et s'administrer à leur guise. Financièrement, la monarchie est aux abois : les impôts ne sont plus payés par la population ou sont détournés.

Sacré roi à Chartres le 25 février 1594, Henri IV est resté avec Louis IX, le roi de France le plus populaire. Son fils, Louis XIII, épousa à 14 ans Anne d'Autriche, une princesse espagnole, mais dut attendre 23 ans la naissance du futur Louis XIV.

La restauration du pouvoir royal

Roi très autoritaire sous sa rondeur narquoise et familière, Henri IV entend ramener l'ordre et se faire obéir. Alliant souplesse et fermeté, il reprend l'œuvre de François Ier et Henri II. Il nomme à son Conseil des hommes choisis pour leurs seules capacités, dans le camp des catholiques comme dans celui des protestants, et écarte les princes de sang et les grands seigneurs qui doivent se contenter de charges honorifiques. Les Grands qui s'agitent et complotent sont durement châtiés : le maréchal de Biron, ancien compagnon d'armes du roi est décapité en 1602 pour conspiration avec l'étranger. Les gouverneurs de provinces, généralement issus de la haute noblesse, voient leurs attributions restreintes. Les États Généraux, souvent réunis pendant les guerres de Religion, ne sont plus convoqués. Les Parlements sont contraints d'enregistrer les édits royaux.

Le redressement économique

Henri IV s'efforce de favoriser l'essor matériel du pays. Il trouve en Sully l'homme de la situation : nommé surintendant général des Finances, il restaure en dix ans les finances du royaume, pratique une sage politique d'économie, proscrit le gaspillage, assainit la monnaie, rembourse les dettes contractées durant la guerre, et réussit à équilibrer le budget de la monarchie et à constituer des réserves qu'il amasse dans les caves de la Bastille.

Toujours aidé de son fidèle ministre, le roi favorise l'agriculture en diminuant les charges qui pèsent sur la paysannerie, encourage les cultures nouvelles comme celles du mûrier pour l'élevage du ver à soie, et fait assécher des marécages.

Adoptant les idées de Barthélemy de Laffemas, nommé en 1600 contrôleur général du Commerce, il encourage également la création de manufactures* de luxe (verrerie, soierie, tapisserie) qu'il subventionne et protège de la concurrence étrangère en créant des monopoles* qui évitent au royaume des sorties d'or et d'argent.

Soucieux de voir son pays participer au grand commerce maritime aux côtés de l'Angleterre et de la Hollande, le roi favorise la création d'une compagnie des Indes Orientales et soutient les entreprises de colonisation de Samuel de Champlain, qui fonde Québec en 1608.

Cependant, l'élan donné à l'économie par Henri IV et Sully est brutalement interrompu par l'assassinat du roi en mai 1610. Le royaume connaît alors une nouvelle période de troubles sous la minorité du roi Louis XIII.

Louis XIII et Richelieu

Le pouvoir royal est de 1610 à 1617 en de faibles mains. Médiocre politique, la régente Marie de Médicis discrédite son gouvernement en accordant à tort sa confiance à quelques membres de son entourage tels Léonore Galigaï et son mari Concini, un ambitieux cupide détesté de tous. Pour calmer les Grands avides de puissance, elle dilapide le trésor royal en pensions, privilèges et festivités, avant d'être contrainte de convoquer les États Généraux pour leur demander en vain de l'argent (1614).

L'assassinat de Concini en 1617 sur ordre du jeune roi et son remplacement par le favori de Louis XIII, le duc de Luynes, n'améliorent en rien les affaires. Inquiets de la politique catholique suivie par le pays depuis 1610, les protestants se révoltent à leur tour.

L'entrée du cardinal de Richelieu au Conseil en 1624, va permettre au roi de redresser la situation. Bénéficiant de la confiance totale de Louis XIII, Richelieu désarme les protestants (il prend avec Louis XIII la tête d'une armée qui assiège La Rochelle, 1627-1628) tout en confirmant le régime de la tolérance religieuse (édit d'Alès, 1629); il réduit les Grands à l'obéissance en infligeant des châtiments impitoyables aux comploteurs (exécutions du duc de Montmorency et du favori du roi, Cinq-Mars) et en démantelant de nombreux châteaux forts. Soucieux de rendre à la France sa puissance en Europe, il développe la marine, encourage l'essor colonial par la fondation de compagnies de commerce, et lutte contre les Autrichiens et les Espagnols (Habsbourg) qui menacent les frontières du royaume. La guerre est longue et coûteuse. Obligé de recruter de nouvelles troupes, Richelieu écrase d'impôts les paysans qui se révoltent (Croquants du Limousin en 1637, Va-nu-pieds de Normandie en 1639).

Aussi sa mort est-elle accueillie par la population avec soulagement. Louis XIII lui survit à peine et meurt le 14 mai 1643.

Mazarin et la Fronde

L e peuple souffre toujours de la faim et de la guerre. Les finances sont dans un piètre état. Noblesse et Parlements profitent encore une fois de la minorité d'un roi, Louis XIV, pour

se révolter. Mazarin, successeur de Richelieu au Conseil du roi, doit faire face de 1648 à 1653 à une véritable guerre civile, la Fronde, qui, de Paris, s'étend rapidement à de nombreuses provinces. Grâce à son habileté, le cardinal réussit à s'imposer. A sa mort en 1661, les nobles et les Parlements sont réduits à l'obéissance et la paix est signée avec la maison d'Autriche et l'Espagne. La voie vers l'absolutisme* est ouverte.

Appelé par Louis XIII au Conseil en 1624, le cardinal de Richelieu a instauré le système du ministériat, qui associait au roi un «principal ministre» tout-puissant, mais toujours soumis aux volontés de son souverain.

Fils aîné de Louis XIII et d'Anne d'Autriche, Louis XIV n'avait que cinq ans lorsqu'il devint roi sous la régence de sa mère. Remarquablement formé à son métier de roi par Mazarin, il n'oubliera jamais les troubles de la Fronde fomentés par le Parlement de Paris et la noblesse.

Ce «repas de paysans» exécuté par Louis le Nain dépeint une famille paysanne, qui sans être dans l'opulence, ne vit pas dans la misère. Cette dernière touche, au sortir de la Fronde, des régions entières comme la Champagne ou l'Ile-de-France.

Le siècle de Louis XIV

Le 10 mars 1661, Louis XIV, âgé de vingt-trois ans, proclame, devant son Conseil réuni, son intention de gouverner lui-même, sans premier ministre, mais avec l'aide de conseillers qui l'assisteront à sa demande. Durant cinquante-quatre ans, il va gouverner en monarque absolu, exerçant pleinement « son métier de roi ». De fait, pendant six à huit heures par jour, il se consacre aux affaires de l'État, s'informe de tout, écoute avec attention les avis de chacun, mais décide seul.

Issue d'une famille de comédiens, Madeleine Béjart, ici dans le rôle de Madelon des *Précieuses ridicules*, appartenait à la troupe de Molière.

Longtemps itinérante, la Cour se fixe à Versailles en 1682. Les courtisans participent selon un cérémonial réglé par l'étiquette à la vie du roi : le lever, les repas, la promenade, la chasse ou le coucher.

Le renforcement de l'autorité

« **R**oi par la grâce de Dieu », dont il est le lieutenant sur la Terre et qui seul peut juger ses actions, Louis XIV concentre entre ses mains tous les pouvoirs et met en place un appareil gouvernemental centralisé et efficace.

Pour gouverner, le souverain s'entoure de conseillers fidèles et dévoués, issus pour la plupart de la bourgeoisie. Ce sont de grands commis qu'il sait rabaisser d'un simple mot et qui font exécuter les décisions royales. Il utilise sa cour installée à Versailles comme instrument de règne ; la noblesse se ruine en folles dépenses et au jeu et n'a plus d'espoir que dans les « grâces » et les faveurs royales.

Louis XIV réduit de même les Parlements en les privant de leur droit de remontrance* ; il crée une police forte et affermit dans les provinces les pouvoirs des intendants, ses agents réguliers et permanents, qui exercent un pouvoir quasi absolu dans tous les domaines (justice, police, finances, armées), et s'efforcent d'affirmer partout l'autorité royale en réduisant les libertés des corps intermédiaires.

Colbert et l'absolutisme économique

Pendant vingt-deux ans (1661-1683), Colbert a été le principal instrument de cet absolutisme royal en matière d'économie et de finances. Il fait porter son effort sur l'industrie, seule susceptible de faire entrer en France de l'or, « sang de l'économie ». Pour cela il crée des manufactures privilégiées soumises à une réglementation sévère de la qualité. Il développe les industries textiles : draperies à Elbeuf et Abbeville, tapisseries à Paris (les Gobelins) et à Aubusson, soieries à Lyon. Il fait venir de l'étranger les ouvriers les plus habiles qui livrent leurs secrets de fabrication (verriers de Venise, tisserands des Pays-Bas). Cette jeune industrie est protégée par des tarifs douaniers très élevés.

Il fait construire une importante flotte de commerce et, pour la protéger, une puissante flotte de guerre. Il crée enfin de nombreuses compagnies de commerce qui disposent d'un

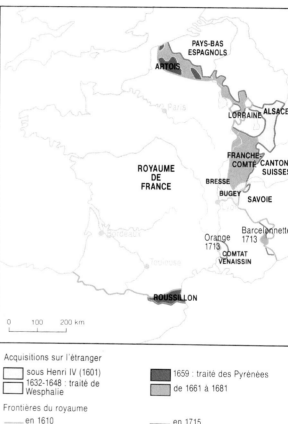

Acquisitions sur l'étranger
sous Henri IV (1601)
1632-1648 : traité de Wesphalie
1659 : traité des Pyrénées
de 1661 à 1681

Frontières du royaume
en 1610
en 1715

Les acquisitions territoriales au XVIIᵉ siècle

monopole pour certaines parties du monde et encourage le développement des colonies (Canada, Antilles, Louisiane, Indes).

L'absolutisme religieux

« **R**oi très chrétien », Louis XIV intervient aussi dans les affaires religieuses. Il s'oppose au pape au sujet de l'administration de l'Église de France. Défenseur de la foi catholique, il persécute les jansénistes*, partisans d'une religion plus austère, et fait raser leur abbaye, Port-Royal des Champs (1709). Rêvant de rétablir l'unité religieuse de son royaume, il s'acharne contre les protestants. Il envoie, dès

Des guerres incessantes

Louis XIV poursuit la politique de Richelieu et Mazarin. Il abaisse la maison d'Espagne et achève, comme le montre la carte, l'unité de la France en rattachant les territoires qui lui paraissent être « dans la bienséance de ses limites », c'est-à-dire de ses frontières naturelles.

Déjà Mazarin avait obtenu des concessions territoriales au nord, à l'est et au sud-est par le traité de Westphalie — qui termine la guerre de Trente Ans — et celui des Pyrénées qui achève la guerre contre la maison d'Espagne.

Le Tellier et son fils Louvois vont donner à Louis XIV l'outil dont il a besoin : une armée régulière, instruite et disciplinée, forte en temps de paix de cent vingt-cinq mille fantassins et quarante-cinq mille cavaliers et du double en temps de guerre.

Louis XIV, à la mort de Philippe IV d'Espagne, exige au nom de sa femme, Marie-Thérèse, l'application du droit de dévolution* qui attribue l'héritage aux seuls enfants nés d'un premier mariage. Les interventions militaires du roi et de Turenne sont de véritables promenades. La paix d'Aix-la-Chapelle donne à la France dans les Flandres maritimes et wallonnes douze places fortes que Vauban fortifie.

Louis XIV se retourne alors contre les Pays-Bas protestants : la guerre de Hollande, difficile, longue (six ans), s'achève par la paix de Nimègue qui donne à la France la Franche-Comté espagnole et de nouvelles places fortes aux Pays-Bas.

Inquiets de cette politique d'annexions, les pays européens forment une coalition. La guerre de la ligue d'Augsbourg (1688-1697) et la guerre de Succession d'Espagne (1702-1714) font perdre à la France sa prépondérance au profit de l'Angleterre.

1681, des dragons les convertir de force par la terreur, avant de révoquer l'édit de Nantes (1685) : les temples sont détruits, les écoles et les pasteurs interdits. Fuyant la persécution, près de deux cent mille protestants, commerçants, artisans, manufacturiers, armateurs, quittent la France pour l'Angleterre, la Prusse ou la Hollande. D'autres, tels les Camisards des Cévennes, refusent de se soumettre : il faudra huit ans de répression sanglante et une armée de vingt mille hommes pour en venir à bout.

Le Grand Siècle

A fin de donner plus d'éclat à son règne, Louis XIV encourage les écrivains (Boileau, Racine, La Fontaine, Molière), les peintres (Le Brun, Mignard), les architectes (Mansart, Perrault, Le Vau), le musicien Lulli dont le renom sert sa gloire, par des faveurs et des pensions. Il aide à la création d'académies (peinture, sculpture), fait embellir Paris (Louvre, Tuileries) et édifier à Versailles un palais digne de sa grandeur. Pour cette entreprise, il rassemble les plus grands talents de son époque, les architectes Le Vau et Mansart, le peintre Le Brun, le jardinier Le Nôtre, l'ingénieur des eaux Franchine.

La splendeur du Roi-Soleil cache cependant l'extrême misère du royaume. Les guerres, les famines et les épidémies de peste en particulier, ont épuisé une population par ailleurs accablée d'impôts de plus en plus lourds.

Quand le roi meurt le 1er septembre 1715, il est tellement détesté que son cercueil est conduit à Saint-Denis sous les injures.

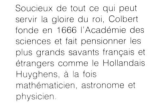

Soucieux de tout ce qui peut servir la gloire du roi, Colbert fonde en 1666 l'Académie des sciences et fait pensionner les plus grands savants français et étrangers comme le Hollandais Huyghens, à la fois mathématicien, astronome et physicien.

Le siècle des Lumières

L e XVIIᵉ siècle avait été le siècle du respect de l'ordre et de l'autorité. Le XVIIIᵉ est celui de la remise en cause. Celle-ci est conduite par des penseurs, des écrivains et des savants qui font appel à la raison et à l'esprit critique pour étudier la société de leur temps. Ces hommes appelés philosophes croient au progrès et à la science, et veulent « éclairer » le monde par les « lumières » de la raison. Ils critiquent ainsi l'Église, la monarchie absolue et la société à ordres, et défendent les libertés : liberté individuelle (ils s'opposent aux emprisonnements arbitraires et à la torture), liberté de pensée (ils sont pour la tolérance religieuse et contre la censure), liberté économique (ils réclament l'abolition des corporations et la libre circulation des marchandises).

A ce nouveau courant d'idées, on a donné le nom de siècle des Lumières. La France exerce alors une véritable prépondérance dans le domaine intellectuel.

Influencés par l'Angleterre, Montesquieu et Voltaire réclament une monarchie constitutionnelle. Seul Rousseau va plus loin en traçant dans son Contrat Social l'esquisse d'un état démocratique fondé sur l'égalité de tous et la souveraineté populaire.

Cette philosophie des Lumières répond aux désirs d'une bourgeoisie de plus en plus riche et puissante mais qui est tenue à l'écart du pouvoir et aspire à jouer un rôle dans l'État et dans la société, souhait que réalisera la Révolution.

La société d'Ancien Régime

Avec 22 millions d'habitants vivant sur un territoire de 500000 km² environ, le royaume de France est, au début du XVIIIe siècle, le plus peuplé d'Europe. Son roi, qui cumule les pouvoirs, règne en

monarque absolu sur une société alors divisée en trois « ordres », clergé, noblesse et tiers état. L'Assemblée des états généraux symbolise cette division tripartite.

Le déjeuner d'huîtres accompagnées de vin blanc de Champagne est au XVIIIe siècle le repas de fête par excellence des milieux de la noblesse vivant en ville.

Des ordres privilégiés

Cette société d'Ancien Régime repose sur la naissance et les privilèges. Les deux premiers ordres regroupent 2 % des Français et disposent d'importants avantages politiques et fiscaux. Le tiers état rassemble tous les roturiers sur qui reposent toutes les charges du pays, soit 98 % des Français.

Le clergé, premier ordre du royaume, compte environ 150 000 membres. Il est divisé en clergé séculier (évêques, chanoines, curés, vicaires) et clergé régulier (abbés, moines, religieuses). Il exerce une grande influence spirituelle et sa richesse est considérable. Il possède 10 % des terres du royaume et de nombreux immeubles. Ses biens estimés entre 2 et 4 milliards de livres lui rapportent annuellement 100 millions de livres auxquels s'ajoutent la perception de la dîme (100 millions). Il est exempt d'impôts et ne consent au roi qu'un modeste « don gratuit » (3 millions de livres par an en moyenne). Il est

vrai que ses dépenses sont importantes. Il s'occupe de l'assistance aux pauvres, des hôpitaux et a la charge de l'enseignement.

Mais cet ordre riche et influent est divisé. Seul le haut clergé (archevêques, évêques et chanoines) profite des privilèges et de la richesse de l'ordre. La plupart de ses membres sont issus de la noblesse et mènent une vie fastueuse. Depuis le Concordat de 1516, qui règle les relations entre le roi de France et le pape, ils sont nommés par le roi et confirmés ensuite par le pape. Le bas clergé (moines, curés, vicaires), lui, est resté proche du peuple dont il est issu. Il ne manque ni de foi ni de vertu, mais doit se contenter d'une modeste pension (la portion congrue) à peine suffisante pour vivre décemment. Curés et vicaires exercent une grande influence dans les paroisses. Ce sont eux qui tiennent les registres de l'état civil où sont inscrits les baptêmes, les mariages et les décès.

La noblesse, second ordre du royaume, compte 300 000 membres. Comme le clergé, elle est divisée en plusieurs catégories. D'après l'origine, on distingue nobles d'épée qui font remonter leur noblesse au Moyen Age et nobles de robe à l'ancienneté plus récente. Ceux-ci se recrutent parmi les riches bourgeois anoblis par le roi au XVIIe siècle en fonction du mérite ou par l'achat de certaines charges administratives, judiciaires ou financières.

D'après la richesse on distingue en fait nobles de cour et nobles de province. Les premiers (environ 4000 personnes) comprenant, outre les princes de sang, tous ceux qui ont eu l'honneur d'être présentés au roi, vivent à la cour de

L'administration de la France sous l'Ancien Régime.

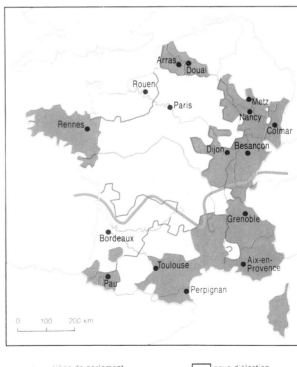

● siège de parlement

—— limite de parlement

limite entre pays de droit coutumier (au nord) et de droit écrit (au sud)

☐ pays d'élection

▨ pays d'état et d'imposition

Les bals costumés étaient un divertissement prisé aussi bien dans les milieux privilégiés que populaires.

Versailles. Ils y mènent une vie luxueuse et dépensent sans compter en sollicitant sans cesse du roi, pensions, bénéfices et postes. Les seconds, loin de Versailles, sont souvent fort aisés et cultivés. Ils vivent l'hiver dans leurs hôtels urbains, l'été dans leurs châteaux et sur leurs terres. Seule une minorité de la noblesse, importante dans l'ouest, est sans fortune et mène une vie proche de celle des paysans.

La noblesse tire l'essentiel de ses revenus des droits seigneuriaux et des terres qu'elle fait travailler par ses fermiers et ses métayers. Sa fortune considérable — 20 à 25 % des terres du royaume — est en déclin. Appauvrie par la hausse des prix, la noblesse doit dépenser davantage, parfois jusqu'à l'endettement, pour maintenir son train de vie. Toute activité manuelle lui est interdite sous peine de déroger, c'est-à-dire perdre la qualité de noble. Cela n'empêche pas certains de se livrer au grand commerce maritime ou à des activités industrielles comme la verrerie, la métallurgie.

Le tiers état

L e tiers état rassemble le peuple des campagnes et des villes. Il se partage en nombreuses catégories sociales très différentes, des plus riches aux plus misérables.

La grande masse du tiers état est constituée des paysans (70 % de la population), vivant dans des villages en communauté. Ils se rencontrent à la messe tous les dimanches, travaillent et s'amusent ensemble au rythme des fêtes religieuses et des saisons. Réunis en assemblée, les chefs de famille répartissent l'impôt en fixant le calendrier des travaux agricoles.

En général, les paysans ne sont pas propriétaires de la terre qu'ils travaillent. Celle-ci appartient le plus souvent au seigneur qui peut être un noble, un évêque ou un bourgeois enrichi de la ville voisine. Seule une minorité de paysans a assez de terre pour vivre décemment. Laboureur dans le Nord, ménager dans le Midi, celui-ci possède des terres (10 ha au moins), du bétail, une charrue et son attelage qu'il loue à des paysans pauvres auxquels il avance aussi de l'argent. Sachant lire et écrire, il domine les assemblées villageoises.

La plupart des paysans vivent difficilement ou dans la pauvreté et sont à la merci de la moindre crise de subsistance qui les jettent aussitôt dans la misère. Certains exploitent une terre qu'ils louent en fermage ou en métayage et élèvent quelques bêtes nourries uniquement grâce aux prés communaux. Ceux qui ne possèdent rien se font embaucher comme manœuvriers ou brassiers lors des grands travaux agricoles comme les moissons ou les vendanges. Tous sont très attachés aux droits collectifs (droit de pâturage, de glanage) qui les aident à vivre et s'opposent à la clôture des champs et au partage des communaux*.

Les paysans fournissent l'essentiel des impôts dus au roi et font vivre le clergé, qui perçoit la dîme. Ils assurent aussi la richesse du seigneur, qui dispose de droits nombreux et variables selon les régions sur les hommes et les terres : droits de mutation sur les héritages ou les ventes, champart* sur les récoltes, cens* sur la location des terres, péages divers, banalités.

Le peuple des villes (15 % de la population) est lui aussi très divers. En tête vient la bourgeoisie, composée des officiers royaux, qui ont acheté leur charge au roi (notaire, avocat, huissier, juge), des receveurs de rentes et d'impôts, des négociants, grands marchands et manufacturiers. Ceux-ci possèdent des fortunes considérables et occupent souvent une place importante dans l'administration municipale. Aspirant à accéder à la noblesse, ils investissent dans l'achat de terres ou de seigneuries.

A l'échelon inférieur, petits commerçants, boutiquiers et artisans forment avec leurs compagnons et leurs apprentis un groupe actif vivant modestement. Regroupés en corporations qui fixent les règles d'exercice de leur profession et les modes de fabrication, ils se divisent en compagnons et maîtres. Les premiers sont rémunérés à la journée ou à la tâche et mènent une vie difficile et précaire. Les seconds, propriétaires de leur boutique, veillent jalousement à défendre leur corps de métier en limitant étroitement la concurrence.

Au XVIIIe siècle, les villes abritent, à côté d'une nombreuse population de journaliers, une foule de mendiants, de vagabonds et de marginaux.

Le port de La Rochelle comme ceux de Bordeaux et Nantes ont fait fortune au XVIIIe siècle grâce au commerce avec l'Amérique, l'Afrique et l'Asie. Leur opulence a permis de financer de nombreux aménagements urbains.

Les crises de l'Ancien Régime

Dès 1733, le roi Louis XV, alors très populaire, s'efforce de fuir la pesante étiquette de Versailles en s'engageant ouvertement dans une vie de plaisirs, qui discrédite peu à peu la monarchie.

Louis XV régnera pendant près de soixante ans (1715-1774). Son règne, pour prometteur qu'il ait été par moments, marque la décadence de la monarchie absolue.

La Régence

En 1715, à la mort de son arrière-grand-père Louis XIV, Louis XV est un enfant de cinq ans. La régence est confiée jusqu'en 1723 à son oncle, le duc Philippe d'Orléans. En échange de l'annulation du testament du roi défunt, qui limitait ses pouvoirs, celui-ci rend au Parlement de Paris son droit de remontrance, aboli sous Mazarin.

Cette période est marquée par une réaction à l'esprit du règne précédent. La Cour revient à Paris et s'installe au Palais-Royal où elle mène une vie joyeuse. Les bals masqués se multiplient, les modes se succèdent, les salons accueillent artistes, écrivains et savants qui critiquent l'absolutisme royal et demandent plus de liberté. Le Régent favorise le retour des Grands à la tête de l'État, où ils font la preuve de leur inefficacité. Il accroît les dépenses publiques en distribuant pensions et privilèges.

Bientôt les caisses de l'État sont vides et les dettes énormes. Pour procurer de l'argent au Trésor, le Régent autorise en 1716 un banquier

écossais, John Law, à créer une banque qui pourra émettre de la monnaie de papier gagée sur des pièces métalliques. Law crée aussi une compagnie de commerce, dont les actions doivent, dit-il, rapporter d'importants bénéfices. Séduite, l'opinion accepte la nouvelle monnaie et se dispute les actions de la rue Quincampoix, siège de la compagnie et de la banque. Mais Law imprime trop de billets. Le public perd confiance et provoque la ruine du banquier en demandant l'échange de billets contre de l'or (1720). L'expérience a néanmoins permis à l'État de rembourser une part importante de ses dettes et à l'économie du royaume de reprendre son essor.

Louis le Bien-Aimé

A la majorité de Louis XV (1723), le royaume connaît près de vingt années de paix et de prospérité sous le ministère du vieux cardinal de Fleury, ancien précepteur du roi. Il remet de l'ordre dans les finances, équilibre le budget grâce à des économies sévères et fixe la valeur de la monnaie (1726), qui ne variera plus jusqu'à la Révolution. Le commerce maritime se développe ; les ports de l'Atlantique, Bordeaux, Lorient, Nantes, La Rochelle s'enrichissent. Les villes se transforment et s'embellissent. L'agriculture connaît un essor réel grâce à des techniques perfectionnées et à l'introduction de nouvelles cultures.

Faiblesses et revers

A la mort de Fleury, Louis XV se décide à gouverner seul (1743). Mais incapable d'activité soutenue, il se lasse très vite de la politique et subit l'influence de ses favorites, la marquise de Pompadour puis la comtesse du Barry, qui font et défont les ministres.

Jeanne Antoinette Poisson, marquise de Pompadour, appartenait à une famille de financiers. Favorite du roi dès 1745 jusqu'à sa mort en 1764, elle protégea les arts et les lettres.

Épouse de Louis XVI, Marie-Antoinette s'est rendue impopulaire par ses dépenses et son opposition aux réformes. Surnommée « l'Autrichienne » ou « Madame Déficit », elle sera guillotinée en octobre 1793.

Les états généraux s'ouvrent le 5 mai 1789 à Versailles dans la salle des Menus Plaisirs en présence du roi, de la reine et des princes. Clergé, noblesse et Tiers État écoutent avec ennui le long discours lu par Necker sur «l'État de la France».

Maladroitement engagée dans la guerre de Succession d'Autriche (1740-1748) aux côtés de la Prusse de Frédéric II, la France ne retire aucun profit des victoires de Maurice de Saxe dont la plus brillante est Fontenoy (1745). La Prusse seule gagne des territoires et la France accepte de rendre toutes ses conquêtes. Louis XV subit un nouvel échec face à l'Angleterre durant la guerre de Sept Ans (1756-1763) : cette dernière s'empare du Canada (1760) et de l'Inde (1761). Ces pertes, aux yeux d'une opinion publique de plus en plus agissante, sont à peine compensées par le rattachement de la Lorraine, que la reine Marie Leczinska apporte en héritage, et par l'acquisition de la Corse achetée en 1768 aux Gênois.

L'avant Révolution

L es guerres ont conduit une nouvelle fois le pays au bord de la banqueroute. Une première réforme fiscale, instituant un impôt payable par tous, échoue. En 1771, Louis XV, soudain résolu à affirmer son autorité, soutient les réformes du chancelier Maupeou qui décide la suppression des Parlements et leur remplacement par des Conseils supérieurs dont les membres, nommés et rémunérés par le roi, ne seront plus propriétaires de leur charge. La mort du roi, en 1774, arrête toute velléité de réformes.

Soucieux de plaire à l'opinion publique, Louis XVI renvoie les ministres détestés et rappelle les Parlements. Ceux-ci font aussitôt cause commune avec les privilégiés (haut clergé, noblesse) et s'opposent à toute réforme fondamentale.

Le roi n'a pas le courage de soutenir ses différents ministres réformateurs (Turgot, Necker, Calonne) et leurs projets en faveur de l'égalité fiscale. Seule la victorieuse guerre d'Indépendance américaine (1778-1783) à laquelle Louis XVI apporte son soutien, restaure quelque peu le prestige de la monarchie. Mais les dépenses engendrées par le conflit ont accru les difficultés financières de l'État qui doit faire face à une crise économique aggravée par une série de mauvaises récoltes (1787-1788). La dépression ruine les campagnes et touche dans les villes les classes populaires. Exaltée par l'exemple américain et leur Déclaration des Droits qui prône égalité et liberté, l'opinion publique exige des changements profonds.

Acculé à la banqueroute, le roi — sous la pression de l'aristocratie qui a eu l'habileté de se présenter comme défenseur de la liberté contre l'absolutisme monarchique — se résigne à convoquer les états généraux pour le printemps 1789.

La Révolution

Les états généraux sont convoqués dans une atmosphère de banqueroute. Le Tiers État a obtenu d'être représenté par autant de députés que le clergé et la noblesse réunis. Le 5 mai 1789 à Versailles, les députés écoutent le roi qui ne parle que de voter de nouveaux impôts. Le Tiers États répond qu'il est là pour donner une constitution à la France et réclame un droit de vote par tête, ce qui lui donnerait toujours une majorité, et non plus un vote par ordre. Le roi refuse, puis tergiverse... Les choses traînent en longueur et le Tiers État se réunit seul le 17 juin dans la salle du Jeu de Paume, se proclame Assemblée nationale et jure de ne pas se séparer avant d'avoir donné une constitution à la France. Louis XVI hésite un peu, puis paraît céder et c'est avec son accord que les états généraux prennent désormais le nom d'Assemblée constituante.

Le roi n'est plus absolu.

Un été décisif

L a misère due à plusieurs mauvaises récoltes successives, le chômage, la fuite des nobles à l'étranger, les intrigues du roi... tout va pousser le peuple de Paris à soutenir la nouvelle Assemblée : la Bastille, symbole de l'absolutisme et de l'arbitraire royal, est prise le 14 juillet ; en province, des révoltes municipales chassent les intendants du roi, le retentissement est immense et touche même les campagnes : les paysans s'arment pour défendre leurs récoltes et en profitent pour attaquer, et parfois brûler avec leurs occupants, les châteaux : c'est la Grande Peur. Poussée par les circonstances, l'Assemblée abolit dans la nuit du 4 août les droits féodaux et les privilèges, puis vote la Déclaration des Droits de l'Homme et du Citoyen qui proclame l'égalité de tous devant la loi (26 août).

Le calendrier révolutionnaire

Vendémiaire
  22 sept-21 oct.
Brumaire
  22 oct.-20 nov.
Frimaire
  21 nov.-20 déc.
Nivôse
  21 déc.-19 janv.
Pluviôse
  20 janv.-18 fév.
Ventôse
  19 fév.-20 mars
Germinal
  21 mars-19 avril
Floréal
  20 avril-19 mai
Prairial
  20 mai-18 juin
Messidor
  19 juin-18 juil.
Thermidor
  19 juil.-18 août
Fructidor
  19 août-16 sept.

Plus, selon les années, cinq ou six jours « sans-culottides »

Marat devient populaire et influent en 1789 grâce à son journal, l'*Ami du Peuple*, dans lequel il dénonce les révolutionnaires modérés. Il est assassiné en juillet 1793.

Ce tableau du Jeu de Paume, peint par David, symbolise le souffle de la Liberté. Au centre, debout sur une table, le député Bailly lit à haute voix la Déclaration.

Mais, loin de s'épuiser, le mécontentement s'amplifie avec les difficultés économiques. Le roi et sa famille sont ramenés de force à Paris, suivis quelque jours plus tard de l'Assemblée. (5-6 octobre)

L'échec d'une monarchie constitutionnelle

L'Assemblée accomplit en moins de deux ans un extraordinaire travail. Une monarchie parlementaire, comparable à celle de l'Angleterre, remplace la monarchie absolue. Le roi conserve le pouvoir exécutif mais l'initiative et le vote des lois sont confiés à une Assemblée législative élue pour deux ans par les citoyens qui payent une contribution égale à quatre journées de travail. Le roi garde le droit de veto*. Les Français sont libres et égaux devant la loi et l'impôt. Les anciennes provinces sont remplacées par quatre-vingt-trois départements, la vénalité* des offices est supprimée, les fonctionnaires, les juges sont élus mais payés par l'État. Les biens du clergé sont confisqués et vendus aux enchères. Évêques et curés, payés désormais par l'État, sont élus par le peuple et doivent prêter serment au nouveau régime. Cette Constitution civile du clergé est condamnée par le pape et le clergé se divise en réfractaires* et constitutionnels*.

Le roi semble reconnaître la Constitution de 1790 puisqu'il prête serment de fidélité (14 juillet 1790) mais, infidèle, il s'enfuit un an plus tard avec sa famille pour rejoindre les troupes campées aux frontières de l'est. Arrêté à Varennes, il est ramené à Paris. Sa fuite fait naître des sentiments républicains.

La guerre contre l'Autriche et la Prusse qui envahissent la France précipite la chute de la monarchie, le 10 août 1792.

La Ire République

Élue au suffrage universel, la Convention proclame la République au lendemain de la victoire de Valmy. Le peuple parisien en armes — les Sans-Culottes — soutient le parti Montagnard, dirigé par Danton et Robespierre, qui s'oppose aux Girondins, désireux de diminuer l'influence de Paris et de préserver ainsi la décentralisation créée en 1789.

Ces derniers essayent de discréditer les chefs montagnards et tentent de sauver le roi accusé de trahison — il sera guillotiné le 21 janvier 1793.

Dans le même temps, les armées révolutionnaires victorieuses prennent la Savoie et Nice, la rive gauche du Rhin et la Belgique. Du coup une vaste coalition, regroupant tous les souverains d'Europe, se forme contre la République. La situation sur le plan intérieur est aggravée par le soulèvement royaliste de Vendée. Des mesures d'exception deviennent nécessaires. Les Girondins, qui s'y opposent, sont éliminés.

La Terreur

La Convention organise alors une véritable dictature. Un Comité de Salut Public où siègent Robespierre, Danton, Saint-Just, se voit confier les pleins pouvoirs. Pour décourager les trahisons, « la Terreur est à l'ordre du jour » : des dizaines de milliers de personnes sont fusillées, noyées ou guillotinées. Le Comité décide de tout. Il taxe les prix et les salaires, envoie dans les départements des représentants en mission chargés de tous les pouvoirs. L'armée est réorganisée par Carnot et la levée en masse proclamée.

Grâce à ces mesures d'exception, la situation est rétablie dès la fin 1793. La Terreur pourtant ne diminue pas ; le Comité, entraîné par Robespierre, l'aggrave. Hébert et Danton eux-mêmes sont envoyés à l'échafaud. C'est trop, tous ceux qui sont las de la Terreur ou craignent pour leur vie préparent une riposte : le 9 Thermidor, Robespierre ne peut se faire entendre à la Convention ; il est décrété d'arrestation avec vingt et un de ses amis. Il sera guillotiné le lendemain. La Terreur est terminée.

Issu d'une famille de la noblesse provençale, Mirabeau (en haut à droite) s'impose à l'Assemblée constituante où il s'emploie à défendre la monarchie parlementaire. Après la chute du roi. Danton (en haut à gauche) sauve avec Saint-Just et Robespierre (en bas) la République en instaurant la Terreur. Les trois hommes finiront néanmoins sur l'échafaud entre avril et juillet 1794.

La République incertaine

Vainqueurs de Robespierre, les députés modérés regroupés autour de Sieyès, s'imposent à la Convention. Ce sont les thermidoriens. Hostiles à la Terreur comme à la monarchie, ils veulent fonder une république modérée et sont favorables à un régime censitaire écartant des urnes tous ceux qui ne paieraient pas d'impôts.

La réaction thermidorienne (1794-1795)

Le Directoire est l'époque des muscadins, reconnaissables à leurs cheveux parfumés au musc et leur gourdin plombé. Quant aux Merveilleuses, elles sont vêtues à l'antique et se coiffent de chapeaux extravagants.

Né en Corse, Napoléon Bonaparte (1769-1821) s'est illustré au siège de Toulon (décembre 1793) avant de commander l'armée d'Italie puis l'expédition d'Égypte. De retour en France, il négocie avec Sieyès le renversement du Directoire.

Sous la pression de l'opinion publique, les thermidoriens mettent fin à la terreur politique. Les pouvoirs du gouvernement révolutionnaire sont affaiblis, les jacobins et les sans-culottes arrêtés ou pourchassés par les muscadins, bandes de jeunes gens issus de familles aisées, de bourgeois et de désœuvrés armés de gourdins. La liberté des cultes est reconnue et une amnistie accordée aux Vendéens révoltés.

Favorables à la liberté économique, les thermidoriens abolissent la taxation des prix. La hausse vertigineuse qui en résulte déprécie l'assignat et jette dans la misère nombre d'artisans, de boutiquiers et de salariés. Lors de l'hiver 1794-1795, la disette fait place à la famine. Tandis qu'une minorité enrichie par la Révolution et les fournitures aux armées festoie et danse, d'autres meurent de faim et de froid. Affamés, les sans-culottes parisiens se soulèvent au printemps 1795 et envahissent la Convention pour réclamer du pain. Le 4 Prairial, le gouvernement fait appel à l'armée pour les désarmer et multiplie les arrestations. Le peuple parisien est désormais réduit à l'impuissance, tandis qu'à l'extérieur les armées de la République victorieuse obligent la Prusse, la Hollande et l'Espagne à signer la paix à Bâle.

Les guerres révolutionnaires

1792 Victoires de Valmy et de Jemmapes.
1793 Première coalition (Autriche, Prusse, Angleterre, Espagne).
1794 Victoire de Fleurus.
1795 Traité de Bâle. Prusse et Espagne se retirent de la coalition. Occupation de la rive gauche du Rhin et des Pays-Bas autrichiens.
1796-97 Campagne d'Italie. Victoires de Lodi, Arcole, Rivoli. Les Autrichiens signent la paix de Campo-Formio.
1798-99 Expédition d'Égypte.
1799 Seconde coalition (Angleterre, Autriche)
1802 Paix d'Amiens.

Une nouvelle constitution dite de l'An III est adoptée par la Convention le 22 août. Pour éviter la dictature d'un homme ou d'une assemblée, elle partage nettement le pouvoir entre cinq directeurs et deux assemblées élues pour trois ans au suffrage censitaire et renouvelable chaque année par tiers. Mais craignant d'être battus aux prochaines élections par les royalistes redevenus très influents, les thermidoriens s'assurent une majorité républicaine grâce au

Vendée et chouannerie

La guerre de Vendée (mars-décembre 1793) est la plus sanglante guerre civile que la France ait connue depuis les guerres de Religion du XVIᵉ siècle. Elle éclate au moment où le pays est envahi aux quatre points cardinaux par les armées de la première coalition et a pour théâtre principal la Vendée et les départements voisins. L'insurrection vendéenne débute en mars 1793 avec l'annonce de la levée de 300 000 hommes décrétée par la Convention pour défendre la République. La révolte est en grande partie une révolte paysanne spontanée contre les bourgeois des villes favorables à la Révolution. Pour les paysans vendéens profondément catholiques qui avaient accueilli avec sympathie la chute de l'Ancien Régime, l'ennemi est désormais le bourgeois républicain qui a remodelé leur paroisse, leur a interdit l'achat de biens nationaux et persécuté les prêtres réfractaires nombreux dans le bocage.

D'abord dirigée par des hommes du peuple (Cathelineau, un colporteur, Stofflet, un garde-chasse), l'insurrection est bientôt encadrée par des nobles (d'Elbée, Bonchamps, Charette, La Rochejacquelein) obligés souvent de prendre la tête de la révolte. Ils forment une armée catholique et royale de 40 000 hommes, qui inscrit Dieu et le Roi sur ses drapeaux.

A Paris, la Convention, mal informée, assimile aussitôt la révolte à un complot aristocratique dirigé contre la République et décrète le 1ᵉʳ août la destruction de la Vendée en transformant le pays insurgé en désert. Victorieuse jusqu'en juin, l'insurrection est écrasée à la fin de l'année 1793 par l'armée de Kléber et Marceau. La guerre est féroce et sans pitié, chaque camp faisant peu de prisonniers. Aux atrocités des Vendéens blancs (ils ont adopté le drapeau blanc) répondent celles des Républicains bleus (ils ont un uniforme bleu). A Nantes, à Angers, Carrier et Francastel, envoyés par la Convention, font régner la Terreur en fusillant et noyant dans la Loire indistinctement suspects et prisonniers. Au total, une dizaine de milliers de morts dont 4 à 5 000 noyés. Après la défaite, une répression féroce s'est abattue sur les Vendéens que l'on veut punir. Les colonnes infernales du général Turreau parcourent le pays, massacrant femmes et enfants. Les arbres sont coupés, les villages incendiés, le bétail abattu. Il y a sans doute 150 000 morts, soit un quart de la population de la région.

La répression a pour conséquence de réanimer la révolte, qui se poursuit désormais sous forme de guérilla tournant souvent au brigandage : la chouannerie. La Vendée sera définitivement pacifiée par Hoche en 1796 sous le Directoire et ne retrouvera la paix qu'avec le Consulat.

décret des deux-tiers : deux tiers des députés seraient choisis obligatoirement parmi les députés de la Convention.

Hostiles au décret, les royalistes parisiens s'insurgent le 13 Vendémiaire An III. La Convention fait appel au général Bonaparte pour réprimer l'insurrection avant de se séparer, le 26 octobre, et laisser la place au nouveau régime : le Directoire.

Le Directoire (1795-1799)

Celui-ci doit aussitôt faire face à une double opposition, celle des royalistes soutenus par les nobles émigrés et l'Angleterre, et celle des jacobins, anciens montagnards appuyés par les sans-sulottes favorables au retour à la Terreur. Pour se maintenir, le Directoire frappe l'un ou l'autre adversaire. En 1796, il réprime un complot, la conspiration des Égaux, dirigée par Gracchus Babeuf. Contre les royalistes et les jacobins, vainqueurs successifs aux élections, il se maintient en 1797 et 1798 en faisant appel à l'armée et ses généraux pour renverser les nouvelles majorités. Cette politique de coups d'État discrédite le régime au moment où grandit la popularité du général Bonaparte, vainqueur des Autrichiens en Italie (1797).

Aux prises avec une crise financière aiguë, le Directoire réussit néanmoins à assainir partiellement les finances par le pillage des pays conquis. Il perfectionne l'administration et la justice, réorganise les impôts, dote le pays d'une police efficace, achève l'organisation de l'instruction publique, soutient le développement de l'industrie et du machinisme.

Le régime cependant est de plus en plus critiqué. Les Français sont las de la guerre et de l'instabilité politique. La guerre civile a repris dans l'Ouest, le brigandage sévit à nouveau dans les campagnes, les armées françaises battues sont chassées d'Italie (1799).

Revenu d'Égypte, Bonaparte soutenu par Sieyès profite de la situation pour renverser, le 18-19 Brumaire, le Directoire par un coup d'État. Le pouvoir est accordé à trois consuls, Bonaparte, Ducos et Sieyès, chargés de préparer une nouvelle constitution et de négocier la paix.

Prise par les «Blancs» le 14 mars 1793, Cholet fut le théâtre de la bataille la plus sanglante de la guerre de Vendée, remportée le 17 octobre 1793 par l'armée de Kléber.

Les armées vendéennes étaient formées de paysans armés de faux, de piques, de fourches ou de fusils récupérés sur les soldats républicains. Un cœur surmonté d'une croix était cousu sur leur vêtement.

L'épopée impériale

Sous des apparences républicaines, Bonaparte installe au lendemain du 18 Brumaire un régime autoritaire, qui lui permet de rétablir la paix intérieure et de réconcilier les Français *divisés par dix années de révolution et d'instabilité politique. Héritier de la Révolution, il en codifie les acquis et les idéaux et les fait ainsi passer dans la vie quotidienne des Français.*

Jeune général audacieux (ici à Arcole), Bonaparte se fait sacrer «Empereur des Français» par le Pape en décembre 1804 et fonde une nouvelle dynastie. Il règne alors en souverain absolu, s'entoure d'une cour fastueuse et crée une nouvelle noblesse. L'invasion de la France par les Alliés l'oblige à abdiquer en 1814. L'homme est déjà miné par la maladie qui l'emportera sept ans plus tard.

Une nouvelle constitution permet à Bonaparte de concentrer pratiquement toute l'autorité entre ses mains. Nommé consul — c'est son nouveau titre — pour dix ans, il rétablit la paix intérieure, autorise les émigrés à rentrer et signe avec le pape un Concordat (1801), gage de la paix religieuse. Il procède à de vastes réformes administratives et judiciaires et crée la plupart des institutions sous lesquelles nous vivons encore aujourd'hui; les fonctionnaires sont désormais nommés par le gouvernement et, dans les départements, les préfets et les sous-préfets font respecter les lois. La justice est réorganisée et s'appuie sur le Code civil ou Code Napoléon (1804) qui uniformise les droits et les peines dans tout le pays. Napoléon crée les lycées et l'université, et fonde l'ordre de la Légion d'honneur.

Parallèlement, il rétablit la prospérité économique; une nouvelle monnaie est créée, le franc germinal, qui restera en vigueur jusqu'en 1928. Il institue la Banque de France (1800).

Grâce à ses victoires, il contraint les Autrichiens et les Anglais à signer la paix (1802) mettant ainsi fin à dix ans de guerre. Sa popularité est immense. Après s'être fait nommer consul à vie (1802), il franchit le dernier pas en se faisant sacrer, sous le nom de Napoléon Ier, empereur des Français, le 2 décembre 1804.

La Révolution est terminée.

La France impériale

L'empereur s'entoure d'une cour nombreuse, rétablit l'étiquette et crée une noblesse d'empire. Omniprésent, Napoléon dirige tout et ne tolère ni opposition, ni contestation. Le développement de la police, placée sous les ordres du ministre Fouché, permet une surveillance étroite des citoyens, de la presse et de l'édition. La vie intellectuelle et artistique est soumise à son contrôle; il veut un art grandiose, imité de l'Antiquité.

Napoléon, cependant, réussit à faire oublier son despotisme en donnant à la France prospérité et gloire militaire.

La reprise des hostilités en 1803, à l'initiative de l'Angleterre inquiète de la politique

annexionniste de l'empereur en Allemagne et en Italie, oblige Napoléon à combattre des coalitions sans cesse renaissantes. Pour y faire face, il dispose d'une armée de soldats de métier, les Grognards, aguerris et entièrement dévoués à sa personne. Jusqu'en 1809, l'armée impériale remporte contre Autrichiens, Russes et Prussiens de grandes victoires : Austerlitz, Iéna, Friedland, Wagram. La France est à son apogée et connaît alors sa plus grande extension : elle compte cent trente départements.

Seule l'Angleterre, maîtresse des mers depuis la défaite de la flotte française à Trafalgar, demeure invaincue. Pour en venir à bout, Napoléon décrète un blocus continental qui interdit à toute marchandise anglaise de pénétrer sur le continent européen. Cette politique l'amène à étendre sans arrêt ses conquêtes.

L'occupation de l'Espagne, qui immobilise ses meilleures troupes engagées dans une guerre d'escarmouches incessantes, la désastreuse campagne de Russie au cours de laquelle périt, vaincue par la faim et le froid, une grande partie de son armée, précipitent sa chute. L'empire ne résiste pas à la défaite de Leipzig et à l'invasion de la France. Trahi par ses maréchaux qui veulent la paix, abandonné de tous ceux qu'il a comblés d'honneurs, Napoléon abdique à Fontainebleau le 6 avril 1814. Le même jour, Louis XVIII, le frère de Louis XVI, est proclamé roi. Très vite, par des maladresses (remplacement du drapeau tricolore par le drapeau blanc à fleurs de lys), il dresse contre lui la population.

Les Cent-Jours

P risonnier à l'île d'Elbe, Napoléon profite du mécontentement populaire pour débarquer en Provence ; aussitôt la population et l'armée se rallient à lui et Louis XVIII s'enfuit en Belgique. Mais Napoléon retrouve liguée contre lui toute l'Europe. Il reconstitue une armée, mais il est vaincu à Waterloo par les troupes anglaises et prussiennes. Déporté par les Anglais à l'île de Sainte-Hélène, Napoléon meurt, délaissé, six ans plus tard.

Le peuple de France oublie alors son despotisme et ses ambitions démesurées, et ne voit plus en lui qu'un héros malheureux dont les soldats, les Grognards, répandent la légende dans tout le pays. En 1840, ses cendres seront ramenées et déposées en grande pompe aux Invalides.

Les guerres de l'Empire

1805 Troisième coalition (Angleterre, Autriche, Russie). Victoire d'Austerlitz, défaite navale de Trafalgar.
1806 Quatrième coalition (Angleterre, Prusse, Russie). Victoire de Iéna et d'Auerstadt.
1807 Bataille de Eylau et victoire de Friedland sur les Russes. Entrevue de Tilsitt où se noue l'alliance franco-russe.
1808 Guerre d'Espagne qui se prolongera jusqu'en 1814.
1809 Cinquième coalition (Angleterre, Autriche). Victoire de Wagram.
1812 Campagne de Russie.
1813 Sixième coalition (Angleterre, Prusse, Autriche, Russie). Défaite de Leipzig.
1814 Invasion de la France. Abdication de l'empereur. Première Restauration.
1815 Défaite de Waterloo.

L'Europe en 1815

Réunies de juin 1814 à juin 1815, les quatre puissances victorieuses, auxquelles s'est jointe la France de la Restauration, ont procédé à un remodelage de la carte européenne. La France est ramenée à ses frontières de 1792 et tenue en respect par une chaîne d'états-tampons (royaume de Sardaigne-Piémont,

Rhénanie Prussienne, royaume des Pays-Bas comprenant la Belgique et la Hollande). Une Confédération germanique composée de 34 états souverains et de 4 villes libres est établie ; l'Italie est divisée en sept états sous domination autrichienne. Ce partage ne tient pas compte des sentiments des peuples (Pologne, Belgique, Lombardie-Vénétie) et sera une source de conflits.

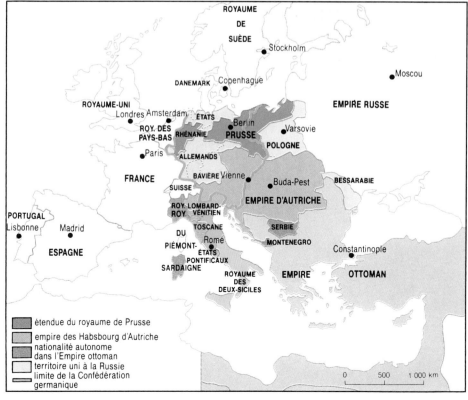

étendue du royaume de Prusse
empire des Habsbourg d'Autriche
nationalité autonome dans l'Empire ottoman
territoire uni à la Russie
limite de la Confédération germanique

Le siècle des Révolutions

Le XIXe siècle est, sur le plan strictement national, une période de progrès, scandée par des révolutions sociales et des convulsions cycliques dont Paris est le théâtre.

La révolution industrielle transforme le pays. Les applications pratiques des découvertes scientifiques et techniques bouleversent la production. L'industrie en se développant, crée des milliers d'emplois, et change le paysage des régions. L'agriculture se modernise. Les paysans se révèlent alors être trop nombreux : c'est l'exode rural vers les villes et les centres industriels.

La révolution scientifique touche tous les domaines de la connaissance : les découvertes se succèdent rapidement et trouvent aussitôt leur application dans l'industrie, la médecine, les communications, les transports.

L'éducation primaire et secondaire se développent impétueusement : l'analphabétisme régresse fortement. Les mouvements artistiques foisonnent, du romantisme au néo-classicisme, du réalisme à l'impressionnisme.

La France se transforme en grande puissance industrielle et coloniale.

De la Restauration à la IIIᵉ République

Battu définitivement en 1815 à Waterloo, Napoléon est exilé à Sainte-Hélène. Le Premier Empire s'achève dans le sang. Louis XVIII revient sur le trône.
Le roi a dû s'engager vis-à-vis de ses sujets et leur octroyer une constitution, une Charte* qui promettait l'égalité de tous devant la loi, la liberté individuelle et du culte, et la liberté de la presse. C'est un compromis entre l'Ancien Régime et les aspirations issues de la Révolution.

La Restauration

Ce régime favorise encore trop les riches, car pour voter il faut payer des impôts. Ainsi une majorité de Français est-elle exclue de la vie politique.

Louis XVIII, que vingt-trois ans d'exil avaient rendu prudent, voire libéral, meurt en 1824. Son frère, Charles X, lui succède ; il représente l'aristocratie farouchement contre-révolutionnaire, il veut revenir à l'Ancien Régime et commet une première erreur en se faisant sacrer en grande pompe à Reims... Il choisit des ministres réactionnaires et fait voter des lois de plus en plus restrictives, ce qui provoque le mécontentement populaire.

En juillet 1830, Charles X signe des ordonnances* qui limitent la liberté de la presse. Immédiatement Paris descend, les armes à la main, dans la rue : ce sont les Trois Glorieuses (27, 28, 29 juillet 1830). Charles X est contraint d'abdiquer et de quitter la France.

La Révolution redresse la tête...

Le Roi des Français

Les républicains ne sont pas assez forts pour imposer leur politique, mais ils n'ont pas tout perdu : Louis-Philippe Iᵉʳ, devenu roi des Français, doit pour apaiser le peuple signer une nouvelle Charte révisée et réadopter le drapeau tricolore. La monarchie devient davantage constitutionnelle. La réalité du pouvoir appartient à la haute bourgeoisie qui participe ainsi directement aux affaires du pays et, en s'enrichissant, développe l'économie française.

Lors des Trois Glorieuses (27, 28 et 29 juillet 1830), le peuple de Paris se bat contre les troupes de Charles X. Le drapeau tricolore est brandi par les hommes en armes.

Petit à petit, Louis-Philippe, secondé par son ministre Guizot, s'oppose aux idées de réforme.

Groupés autour de Ledru Rollin, les républicains et les socialistes réclament le suffrage universel, mais se contenteraient même d'un élargissement du suffrage... Le régime ne veut faire aucune concession. Au contraire, il durcit sa position et interdit les réunions politiques.

Le peuple de Paris se révolte à nouveau en février 1848. Les émeutiers demandent le départ de Guizot qui, après vingt-quatre heures de désordres et de barricades, démissionne ; puis ils exigent le retour à la République.

Devant la violence des révolutionnaires, le roi des Français abdique. Les républicains ne veulent pas, cette fois-ci, se laisser voler leur révolution. Avec Louis Blanc, Lamartine, Ledru Rollin, ils forment un gouvernement provisoire de la République.

Fin de la monarchie constitutionnelle.

De la République à l'Empire

Février 1848 voit le triomphe des républicains unis. Le gouvernement provisoire instaure le suffrage universel* : d'un seul coup la France passe de deux cent mille électeurs à plus de neuf millions ; il décrète la liberté de la presse et de réunions, supprime la peine de mort en matière politique, abolit l'esclavage et, sous la pression des ouvriers, proclame le droit au travail tout en réduisant la durée de la journée de travail.

Les grandes idées de 1789, liberté, égalité et fraternité, refont surface.

D'accord pour abattre la monarchie, les républicains se divisent et se déchirent une fois le roi exilé. Les modérés souhaitent continuer de profiter des progrès économiques, tandis que les socialistes (Barbès, Blanqui, Raspail) veulent changer la société en transformant les rapports économiques. Ils sont les porte-parole de milliers d'ouvriers qui forment, dans les villes, le prolétariat*.

Très vite les pauvres et les nantis s'affrontent : Paris connaît de terribles batailles de rues et le général Cavaignac noie dans le sang les révoltes ouvrières.

A tant se battre entre eux, les républicains s'affaiblissent ; la réaction guette. Aux élections de 1849, un de ses candidats, Louis-Napoléon Bonaparte, est élu. C'est le neveu de Napoléon et il s'est beaucoup servi de la gloire de son oncle.

Élu président de la République, Louis-Napoléon Bonaparte laisse agir à l'Assemblée le parti réactionnaire qui, en votant la restriction du suffrage universel, fait son jeu personnel. Louis-Napoléon Bonaparte organise un coup d'état militaire et devient Empereur avec le titre de Napoléon III. La France change de régime : c'est le début du Second Empire qui va durer jusqu'en 1870...

Napoléon III renoue avec une politique de grandeur et de fastes. De grands travaux sont

La liberté de la presse

Les restrictions à la liberté de la presse furent à l'origine de bien des mouvements populaires :

La Révolution eut vis-à-vis des rares gazettes une attitude modérée ; l'Empire, à partir du moment où il fut contesté, restreignit cette liberté jusqu'à imposer une censure préalable à toute publication.

Les journaux retrouvèrent une certaine liberté sous Louis XVIII, mais Charles X voulut, par ses ordonnances, rétablir la censure. Ce fut une des causes de la Révolution de 1830.

Plus libérales sous Louis-Philippe et surtout pendant la IIe République, les lois sur la presse deviennent de plus en plus restrictives sous Napoléon III.

La IIIe République, d'abord méfiante, donnera un véritable statut aux journalistes en 1881.

accomplis qui transforment la capitale et les grandes villes. Les expositions universelles attirent une foule considérable.

Le progrès sera désormais avant tout économique et non plus social : une période de prospérité s'ouvre pour la France qui devient une grande puissance industrielle.

La Commune

Napoléon III entraîne, en 1870, le pays dans une guerre contre les Allemands. Paris est assiégé par les Prussiens, mais refuse de capituler et poursuit la lutte. Le peuple de Paris se soulève et instaure la Commune* en 1871. Mais la guerre civile éclate, entre les Communards et les Versaillais* ; l'Hôtel de Ville est incendié, les morts se comptent par milliers ; le mouvement ouvrier est brisé net.

La France perd la guerre et est obligée de céder à l'Allemagne, l'Alsace et la Lorraine.

L'avenue de l'Opéra fut percée lors des grands travaux haussmanniens accomplis sous Napoléon III. L'Opéra est dû à l'architecte Charles Garnier. Commencé en 1861, inauguré en 1875, ce bâtiment est un bel exemple de l'architecture du Second Empire.

Dame d'honneur de l'impératrice Eugénie (tableau de Winterhalter).

Les Révolutions industrielles

Les inventions décisives sont nées en Angleterre et se diffusent en France vers 1825. Les progrès techniques sont liés au charbon et à la vapeur, nouvelle source d'énergie. Les machines modernes et performantes stimulent l'essor de l'industrie textile et de la métallurgie. Ainsi le XIXe siècle est le siècle du fer et du charbon. Le niveau de production de houille, de minerai de fer, de fonte et d'acier révèle la puissance industrielle d'un État.

D ans le Nord et l'Est de la France, régions riches en eau et en charbon, se créent des manufactures et des usines qui attirent une main-d'œuvre abondante.

En 1850, le total des machines à vapeur utilisées dans l'industrie s'élève à 5 322 ; en 1900, il est de 74 636. En 1880, la production de houille atteint 19 millions de tonnes, en 1900 elle est de 32 millions. Mais l'industrie consomme le double de cette production d'où la nécessité d'en importer pour assurer ses besoins.

C'est au XVe siècle que les Bourses prennent naissance dans les villes commerçantes de France, d'Allemagne, d'Italie et des Flandres. La Bourse de Paris devient institution officielle en 1724 (tableau de Degas, « A la Bourse »).

Les Expositions universelles

L'Angleterre, la première, inaugure en 1851 une Exposition internationale qui comporte, notamment, l'édification du Crystal Palace.

Après New York (1853), Paris est la troisième ville au monde à organiser une telle exposition. Mais la plus importante par la superficie qu'elle occupe, est celle inaugurée en grande pompe à Paris en 1867 par Napoléon III. Les principaux bâtiments sont construits sur le Champ de Mars et dans l'île de Billancourt, reliés par un service de bateaux-mouches, ce qui est une grande nouveauté.

Pour l'Exposition universelle, à Paris en 1878, le Palais du Trocadéro est édifié. Pour celle de 1889, on construit la galerie des machines et la tour Eiffel. Le succès est considérable, 33 millions de personnes la visitent. Pour l'exposition de 1900, c'est le pont Alexandre III, le Grand et le Petit Palais aux Champs-Élysées qui sont construits.

L'industrie et la consommation du papier, le développement de l'imprimerie sont le signe de l'élévation du niveau de vie. A partir de 1850, l'expansion de la presse et la diffusion de livres et d'imprimés ne cessent de croître ; la vitesse d'impression augmente grâce aux grandes rotatives modernes. En 1900, la consommation par tête d'habitant est de 2 kg de papier, ce qui place la France parmi les pays les plus prospères du monde.

La locomotive à vapeur révolutionne les transports. A partir des années 1830-1840, les grandes lignes de chemin de fer couvrent progressivement tout le territoire. Le réseau ferré est conçu comme une étoile rayonnante autour de Paris. Les distances se réduisent grâce à l'accélération de la vitesse des locomotives ; leur puissance augmente ainsi que la charge des convois de marchandises.

Les mutations du XIXe siècle.

L es premières banques modernes sont créées vers 1850 ; la monnaie est la plus abondante, ce qui permet le développement économique.

Un urbanisme nouveau change la face des grandes villes. Paris se dote de larges avenues et de constructions modernes. Les banlieues s'étendent et mordent sur la campagne environnante.

L'essor de l'agriculture suit celui de l'industrie. La superficie des terres labourables augmente. Ces terres sont gagnées souvent au détriment des forêts (ce qui provoque des déboisements), mais aussi sur les landes dans le Massif central et en Bretagne, en asséchant des marécages dans la Sologne, les Dombes. Les terres cultivées en blé, en 1862, doublent par rapport au début du XIXe siècle. Les régions se spécialisent dans des types de culture (le maïs, la betterave à sucre). La viticulture se développe et connaît un essor étonnant dans le Languedoc, l'Hérault. Le machinisme agricole (moissonneuses, faneuses et batteuses etc.) en constante hausse, depuis 1862, allège le travail des paysans et contribue au progrès du rendement. L'élevage progresse grâce à la sélection des meilleures races de bovins. Leur nombre passe de 9 millions en 1850 à 15 en 1910.

L'importation de produits agricoles exotiques est en constante hausse et répond ainsi à une demande accrue. Les Français consomment davantage de café, de chocolat, d'épices, d'agrumes. Au XIXᵉ siècle, la France reste encore un pays où les ruraux constituent la majorité de la population.

La révolution de l'électricité

A partir des années 70, une seconde révolution industrielle et scientifique prolonge la première.

L'électricité et le pétrole commencent à supplanter le charbon et la vapeur. La mise au point de la turbine hydraulique et du transport

Le peintre illustre « l'enfer des usines » où les ouvriers travaillent dans de pénibles conditions (tableau de Luce).

Rosa Bonheur : Labourage nivernais.

Henri Gervex : Quai de la Villette. Paris est une grande consommatrice de charbon. Des dizaines de chalands débarquent quotidiennement des tonnes de charbon sur le quai de la Villette.

du courant électrique permet l'utilisation à grande échelle de cette nouvelle source d'énergie.

L'électricité stimule les innovations dans la métallurgie (le four électrique, la production d'acier et d'aluminium); l'industrie chimique, jusqu'alors balbutiante, prend un essor considérable (matières plastiques, colorants de synthèse, engrais chimiques). L'électrification des villes (lampadaires, courant électrique à usage domestique) se répand.

Aux environs de 1880-1883, on applique l'électricité aux chemins de fer. Ainsi, grâce au moteur électrique, les moyens de transport (tramway, métro) se développent et assurent les liaisons interurbaines et avec les banlieues. Le moteur à explosion et l'utilisation de l'essence pour l'alimenter ouvrent la voie à l'industrie de l'automobile et de l'aviation.

Le télégraphe électrique et le téléphone révolutionnent la communication des entreprises, de l'administration et des particuliers. A Paris, dès 1893, il y avait déjà 27 000 abonnés au téléphone.

Le commerce est en pleine révolution. A partir de 1852, des Grands Magasins sont créés : le *Bon marché* en est le modèle. Il est imité par le *Louvre*, le *Bazar de l'Hôtel-de-Ville*, le *Printemps*, la *Samaritaine*. Félix Potin bouleverse le commerce de l'épicerie en inventant les magasins d'alimentation à succursales de quartiers. La vente à crédit assure le succès des magasins de meubles, d'appareils de ménage.

Les sciences exactes (la physique, la chimie, la biologie, la génétique) progressent rapidement. Les découvertes scientifiques qui en découlent trouvent leur application dans tous les secteurs de l'activité humaine.

Les sciences humaines se développent elles aussi : la psychologie, la sociologie, l'histoire, la linguistique, la pédagogie subissent l'influence des méthodes scientifiques et deviennent des disciplines universitaires.

Jamais encore jusqu'alors un siècle n'a été aussi fécond en découvertes scientifiques.

L'aventure coloniale

Le XIXe siècle est pour la France, comme pour certains *autres pays européens, une période d'expansion coloniale.*

Lors de la conquête de l'Algérie, Constantine, attaquée sans succès par le général Clauzel en 1836, fut prise le 13 octobre 1837 par le général Valée. Lors de l'assaut, les zouaves se distinguèrent par leur vaillance.

La conquête de l'Algérie

En 1830, Charles X, pour créer une diversion et masquer les problèmes intérieurs, décide d'occuper l'Algérie. Le prétexte est un coup de chasse-mouches donné à l'ambassadeur.

Pour venger cette humiliation, une armée de 36 000 hommes débarque à Alger. La ville est prise sans trop de heurts, mais ensuite, il faut conquérir tout le pays. Cela ne va pas se passer aussi facilement. Les Algériens réagissent à l'invasion française en se regroupant autour de leur jeune chef, Abd el-Kader.

Décidés à rejeter l'envahisseur à la mer, Abd el-Kader et ses hommes harcèlent les Français fixés le long de la côte... Bientôt la guerre devient terrible et d'un genre nouveau : c'est la guerre coloniale. Pour prendre Constantine, il faudra se battre maison par maison, et chasser tous les habitants. Abd el-Kader applique la tactique de la guérilla. Son arme principale est la mobilité : ses soldats attaquent un poste avancé, puis disparaissent aussitôt dans la nature. Impossible d'affronter ces hommes qui ne sont fixés nulle part et arrivent quand on ne les attend pas.

L'armée française n'a pas l'habitude de ce type de guerre ; une nouvelle méthode de combat est nécessaire. Le général Bugeaud le comprend fort bien et réorganise l'armée. Il crée des unités très mobiles, les colonnes légères, qui doivent poursuivre les soldats d'Abd el-Kader en utilisant leurs propres méthodes. Rapidement cette tactique s'avère payante. Abd el-Kader doit se réfugier au Maroc. Il réussit à convaincre le sultan de participer à une expédition contre les troupes françaises basées en Algérie ; battu, il se rend aux Français en 1847.

Après la colonisation* militaire, vient la colonisation civile. Bugeaud entreprend avec l'armée une grande œuvre de mise en culture du pays. Des routes, des villes et des ports sont créés ; l'installation des premiers colons est facilitée. La mise en valeur de la colonie progresse très vite grâce aux techniques agricoles européennes.

La politique d'expansion

L'aventure coloniale ne fait que commencer ; lentement, une doctrine, justifiant la politique d'expansion, s'élabore : pour se développer, l'impérialisme* européen doit s'assurer de points d'appui partout dans le monde. En échange, l'Europe apporte, dans ses bagages, sa civilisation, ses sciences et ses techniques qui paraissent tellement plus évoluées que les techniques indigènes. De plus, de très nombreux missionnaires s'efforcent de convertir au christianisme les autochtones.

Toute la politique coloniale est résumée par cette phrase de Jules Ferry : la France doit porter « partout où elle le peut, sa langue, ses mœurs, son drapeau, ses armes, son génie ». Tout cela alors justifie la colonisation.

Le monde de cette époque ne ressemble pas au nôtre. Sur la carte, d'immenses régions d'Afrique et d'Asie restent encore inconnues des Européens. Les grandes puissances se mettent d'accord entre elles pour que le premier arrivé conserve le territoire découvert. C'est l'époque des grands explorateurs qui, au nom de la France, prospectent et prennent possession de nouveaux pays.

Faidherbe, à partir de la vallée du Sénégal, organise des expéditions vers la Guinée, la Côte-d'Ivoire, le Niger, le Tchad qui deviendront des possessions françaises.

Plus au sud, Brazza explore le bas Congo et fonde le Congo français sans coup férir et en gagnant la confiance des indigènes.

Sous la IIIᵉ République, le mouvement va s'accélérer. Après l'Afrique, les visées françaises se porteront sur l'océan Indien et l'Asie du Sud-Est.

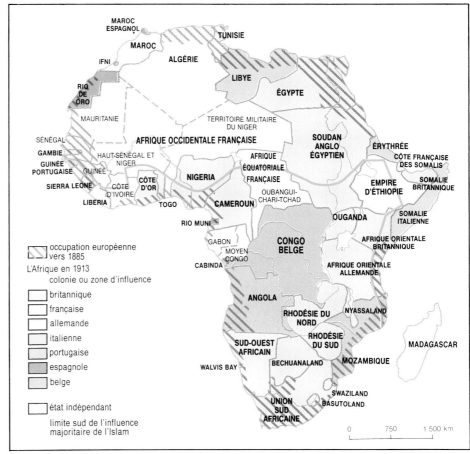

En 1895, une expédition dirigée par Galliéni est envoyée à Madagascar ; la résistance est forte et organisée et les fièvres tuent près de 5 000 hommes : c'est la conquête coloniale la plus meurtrière.

L'amiral Courbet achève la conquête du Tonkin et l'Annam doit accepter le protectorat français ; toute l'Indochine, c'est-à-dire le Viêt-nam, le Laos et le Cambodge actuels, entre dans l'orbite français.

En quelques années, la France se crée un empire colonial de près de 12 millions de kilomètres carrés peuplés de 60 millions d'habitants. De grande puissance européenne, la France devient une grande puissance mondiale, à égalité avec l'Angleterre et l'Allemagne.

L'émir Abd el-Kader est un adversaire acharné de la colonisation. Il finit par se livrer au général Lamoricière, le 23 décembre 1847.

Le maréchal Bugeaud est gouverneur-général de l'Algérie.

La Smalah — ensemble de la maison d'un chef arabe — d'Abd el-Kader est attaquée et détruite le 16 mai 1843 par la cavalerie du duc d'Aumale.

La IIIᵉ République

Comme toutes les Républiques, la IIIᵉ République est née dans la confusion, et aussi dans l'indignation de la défaite subie par Napoléon III face aux Allemands. L'Empire s'est désagrégé en quelques jours et, devant le vide des institutions, un gouvernement provisoire, avec à sa tête « monsieur Thiers », est formé.

L'existence de la République est d'abord précaire et il faudra cinq ans pour qu'elle soit reconnue, et que le parti républicain, grâce à l'impulsion de Gambetta, puisse prendre les rênes du pouvoir.

La constitution de 1875

La constitution de 1875 établit la République parlementaire. La Chambre des députés, élue pour 4 ans au suffrage universel direct, et le Sénat s'occupent des lois. Le président de la République, élu pour 7 ans par les deux Chambres (Députés et Sénat), dirige l'exécutif, c'est-à-dire dispose de l'armée, nomme à tous les emplois, partage avec les membres du Parlement l'initiative des lois, possède le droit de grâce. Le triomphe des républicains est assuré en 1879 lorsqu'un des leurs, Jules Grévy, devient président de la République. La même année, la majorité du Sénat devient républicaine.

Ce régime fonctionnera pendant plus de soixante ans, jusqu'en 1940.

La IIIᵉ République va connaître de nombreuses crises et l'affaire Dreyfus va diviser la France et modifier les forces et l'équilibre des partis.

Deux bourgeois, un ouvrier, un couple de vieux votent sous le buste de Marianne... symbole édifiant du suffrage universel.

Les grandes réformes

Malgré une instabilité certaine, les gouvernements de la IIIᵉ République ont accompli un travail législatif très important, les réformes donnent au régime un caractère laïque, libéral, et plus démocratique.

La liberté de la presse est garantie par la loi de 1881. La liberté de réunion est ensuite acquise. En 1884, une loi autorise la formation des syndicats* professionnels. En 1901, c'est la reconnaissance totale du droit d'association.

La liberté de conscience est établie, la liberté religieuse définitivement fixée par la loi de séparation des Églises et de l'État (1905). Toutes ces lois libérales s'accompagnent d'un effort de démocratisation dans tous les domaines, notamment dans le domaine de l'éducation. Le ministre Jules Ferry rend l'école primaire obligatoire et gratuite pour tous de 6 à 13 ans. L'idée est de permettre au peuple l'accès à la culture, à la connaissance et ainsi de le tirer de la misère. L'enseignement technique se développe, les filles ont, enfin, des lycées et des collèges, on crée dans le pays des universités regroupant les facultés des sciences, des lettres, de droit et de médecine.

L'armée aussi se transforme : la loi de 1905 institue le service militaire obligatoire de deux ans pour tous.

Pour la première fois, les transformations de la société française profitent à tous. L'essor économique est général, comme en témoigne la politique de grands travaux qui est menée ; en 1870, le réseau de chemin de fer n'était que de 18 000 km ; quelques années suffiront pour le faire tripler.

Le suffrage universel*

Le vote de tous les citoyens majeurs a été la grande revendication du XIXᵉ siècle.

Le suffrage censitaire, tributaire de la fortune, des impôts payés, a été, avec des variantes diverses, la règle jusqu'en 1848 : le cens* était haut lorsque le régime était sévère, baissait lorsqu'il se libéralisait ; ainsi le nombre des électeurs, peu élevé au début de la Restauration, était plus faible encore à la veille des « Trois Glorieuses ».

La monarchie constitutionnelle diminua d'un tiers le cens ; ceci, joint à une amélioration de la situation économique, quadrupla les électeurs entre 1830 et 1846. La IIᵉ République établit le suffrage universel, mais elle ne dura que trois ans.

Napoléon III parvint à diminuer la portée du suffrage universel en instituant les candidatures officielles.

Ce n'est que sous la IIIᵉ République qu'il fut utilisé correctement mais toujours au seul profit des hommes, les femmes n'obtenant le droit de vote qu'en 1944, par une décision du général de Gaulle.

L'organisation du travail

L'État prospère et décide d'intervenir plus directement dans l'organisation du travail. Les ouvriers, de plus en plus nombreux, luttent pour améliorer leurs conditions de vie. Les syndicats d'une même profession peuvent se grouper en fédération nationale, les fédérations elles-mêmes se regroupent : en 1895, une Confédération générale du travail (CGT) est créée.

Avec l'aide de l'État, et à la suite des luttes sociales, le Parlement vote un *Code du travail et de la prévoyance sociale*. La durée du travail est réglementée (1900), le repos hebdomadaire obligatoire (1906). Les conditions de travail restent encore très pénibles.

Les syndicalistes sont à l'origine d'une organisation du monde ouvrier qui se sent de plus en plus fort et mieux protégé contre les abus du patronat. Les syndicats, dont l'action au début est surtout défensive, cherchent à organiser les travailleurs dans un but de plus en plus revendicatif. Au congrès d'Amiens, l'émancipation des travailleurs, par le moyen de la grève générale, est demandée.

Les travailleurs, qui disposent de leur propre organisation, ont les moyens de se faire entendre du monde politique.

Le XIXe siècle s'achève sur une apothéose : c'est l'époque des grandes expositions universelles. En 1900, l'Exposition universelle de Paris montre au monde la puissance et la richesse de la France. Paris est illuminé grâce à la fée Élec-

L'Affaire Dreyfus

Alfred Dreyfus, capitaine à l'état-major général, est accusé par le service de renseignements de l'armée d'avoir communiqué des documents secrets aux Allemands. Arrêté pour espionnage, jugé, condamné et dégradé en 1894, il est déporté au bagne de l'île du Diable en Guyane.

Son frère et ses amis clament son innocence. L'Affaire Dreyfus commence. L'opinion publique se divise entre dreyfusards et antidreyfusards. Cette affaire ravive l'antisémitisme dans la droite car A. Dreyfus est d'origine juive, tandis que la gauche prend partie pour la révision du procès. Émile Zola, dreyfusard, publie *J'accuse* ; la Ligue des Droits de l'homme qui se crée regroupe de nombreux intellectuels. Ce n'est qu'en juillet 1906 que A. Dreyfus est réhabilité et promu chef de bataillon.

tricité. On pense alors que le progrès va venir à bout de toutes les souffrances humaines ; la vie semble meilleure, plus juste, aucune guerre ne se profile à l'horizon ; tout a un sens : c'est la Belle Époque.

Hélas ! ces beaux rêves ne durent pas longtemps ; tout bascule lorsqu'en août 1914, le monde entier entre dans la Première Guerre mondiale.

La IIIe République résiste à cet horrible conflit, mais la certitude d'aller vers le progrès et le bonheur de l'humanité et de la France en particulier reste enterrée dans la boue des tranchées de la Grande Guerre.

Tous les symboles de la République sont réunis dans ce tableau : drapeaux tricolores, parade militaire du 14 juillet, la «place de la République», le bal du 14 juillet, la foule de Paris.

Le tribun socialiste Jean Jaurès, admiré et haï, caricaturé lors d'un discours à l'Assemblée nationale.

Aujourd'hui la France

Le véritable passage du XIXe au XXe siècle s'effectue en 1914, lorsque débute la Première Guerre mondiale. Vingt ans plus tard, éclate la Seconde Guerre mondiale, plus dévastatrice encore que la précédente. De celle-ci, la France sort ruinée, son prestige entamé. Elle relève ses ruines et mène simultanément des guerres coloniales en Indochine et en Algérie. La IVe République périt des tensions politiques provoquées par la guerre d'Algérie.

La France retrouve, avec la Ve République, son prestige international.

Tous ces événements provoquent de profondes mutations :

— politiques : trois Républiques se sont succédé depuis le début du siècle ;

— morales : des générations entières ont été marquées par ces conflits ; le pacifisme des années vingt et trente aboutit à la défaite de 1940 et à la collaboration vichyste ; mais la Résistance contre les occupants galvanise des centaines de milliers d'hommes et de femmes. « Mai 1968 » reflète le changement de mentalités des générations d'après-guerre ;

— sociales : le progrès social continu transforme les conditions de vie de la population ;

— technologiques : la démocratisation de l'automobile, des voyages, la modernisation de l'habitat, le développement des transports en commun révolutionnent le mode de vie des gens.

La Grande Guerre

Depuis la fin du XIXe siècle, l'économie européenne connaît une expansion qui ne se ralentit pas. Aussi la concurrence est-elle de plus en plus âpre; chaque marché, chaque concession devient une affaire de gouvernement, et les rivalités économiques aiguisent les tensions internationales.

Tous les gouvernements affirment vouloir maintenir la paix, tout en préparant activement la guerre. Cette « course aux armements », et en particulier aux armements les plus nouveaux, tanks, avions, etc., traduit la montée des rivalités entre pays européens.

L'expansion coloniale, déjà, a failli provoquer plusieurs affrontements. De plus, la France n'a jamais admis la perte de l'Alsace-Lorraine; nombreux sont ceux qui veulent une revanche sur l'Allemagne qui, depuis sa victoire de 1870 et son unification, est devenue une grande puissance. Elle s'est armée scientifiquement et méthodiquement, et possède en ce début de siècle une des meilleures et des plus importantes armées au monde. Elle ambitionne de jouer un rôle prépondérant en Europe.

Chacun se cherche des alliés; l'Europe se divise en deux camps : l'Entente* réunit la France, la Russie et après un temps la Grande-Bretagne; l'autre bloc, Allemagne, Autriche-Hongrie, Italie, forme la Triplice*.

La tension monte lentement. La France et l'Allemagne se heurtent pour la domination du Maroc. L'Autriche-Hongrie et la Russie s'affrontent dans les Balkans, pour le contrôle de l'Europe du Sud-Est. L'Europe ressemble de plus en plus à une poudrière que la moindre étincelle va faire exploser.

L'Europe dans la guerre

En août 1914, à Sarajevo en Serbie, l'archiduc héritier d'Autriche et sa femme sont assassinés. Par le jeu des alliances et des traités, aussitôt toute l'Europe est en guerre. Une formidable vague de nationalisme* secoue les belligérants. On part pour une guerre courte et joyeuse. Les soldats défilent la fleur au fusil devant les foules en délire.

C'est la fin de la Belle Époque, la fin du rêve de progrès pour l'humanité, le début de la Première Guerre mondiale, la plus meurtrière de tous les temps.

La guerre de mouvement

Les Allemands prennent l'initiative, et attaquent les armées françaises en passant par la Belgique, pays neutre. Ils espèrent ainsi contourner les Français, pour les encercler. Ils parviennent à percer les lignes françaises et se dirigent vers Paris. Mais au lieu de prendre la ville, les Allemands préfèrent obliquer vers le sud-est et traverser la Marne. Le maréchal Joffre choisit ce moment pour contre-attaquer. Avec l'aide des soldats de la place de Paris commandés par Galliéni et venus en taxis, les Français remportent, au bout de six jours, la bataille de la Marne; les Allemands sont contraints de reculer jusqu'à l'Aisne. Incapables d'emporter la victoire, les deux adversaires tentent de se déborder l'un l'autre par l'ouest. Le front glisse, par une succession de batailles, vers la mer du Nord : d'où le nom de « course à la mer » qui s'achève par la bataille de l'Yser, atroce tuerie qui dure plus d'un mois dans la boue et l'eau des Flandres.

En 1915, les Allemands utilisent l'arme chimique : le gaz de combat, obligeant les soldats à porter des masques à gaz.

Le front est stabilisé, les armées s'enterrent le long d'une ligne qui va de la frontière suisse à la mer du Nord, en Belgique. On construit des deux côtés des tranchées, que l'on protège avec des barbelés, des mines, des mitrailleuses. La guerre de mouvement se transforme en guerre de tranchées qui durera quatre ans.

La guerre de tranchées

L e nord et l'est de la France sont occupés par les Allemands ainsi qu'une grande partie de la Belgique. Les soldats vivent dans des conditions épouvantables : boue, froid, mauvais ravitaillement, hygiène déplorable. Cette guerre d'endurance est interrompue par de grandes offensives. Les soldats doivent sortir des tranchées, baïonnette au canon, pour aller attaquer en face les tranchées ennemies. Ces attaques sont précédées de tirs d'artillerie et de bombardements violents. Chaque attaque fait des morts par milliers. On se bat partout, en Champagne, sur la Somme, dans l'Aisne. A Verdun (1916), il tombe un obus par centimètre et chaque adversaire aura 500 000 morts. Malgré ces combats acharnés, le front ne bouge pratiquement pas. Les hommes meurent pour seulement quelques centaines de mètres, au mieux quelques kilomètres. Chaque camp a ses héros, ses martyrs.

Le tournant décisif

E n 1917, un sous-marin allemand torpille et coule un navire anglais, le *Lusitania*, qui transportait de nombreux passagers américains. Cette attaque va pousser les États-Unis à entrer dans la guerre aux côtés des Alliés. Dès lors, grâce à l'aide américaine, le camp victorieux se précise. 200 000 soldats américains débarquent chaque mois en France. Ils viennent prendre la relève des troupes françaises, anglaises et belges, épuisées et décimées par trois ans de combats meurtriers. De plus les États-Unis

Clemenceau, «le père de la victoire», dans les tranchées en 1917.

Octobre 1914 : entre l'Yser et Bixschoote, les Allemands se heurtent à la résistance des Belges dans leur «course à la mer».

accordent une aide matérielle importante aux Alliés qui font un véritable blocus des Empires Centraux ; la victoire n'est plus qu'une question de temps, et malgré une dernière attaque allemande au Chemin des Dames en 1918, la guerre s'achève après cinq années meurtrières.

Asphyxiée économiquement par un blocus naval sévère, ne pouvant combler ses effroyables pertes de vies humaines, secouée par des révoltes et des mutineries, l'Allemagne est obligée de capituler sans conditions le 11 novembre 1918. Le traité de Versailles qui met fin à la guerre impose de dures conditions aux vaincus. L'Allemagne rend à la France l'Alsace et la Lorraine et paie de lourdes réparations* aux Alliés. L'empire austro-hongrois est démantelé et réduit à la seule Autriche. La Hongrie, la Tchécoslovaquie, la Pologne, la Yougoslavie deviennent des pays indépendants : la carte de l'Europe est bouleversée.

La bataille de la Marne

0   100   200 km

Bruxelles
Escaut
Rhin
Oise
Aisne
Verdun
Nancy
Marne
Strasbourg
Paris
Seine
Moselle
Mulhouse

→ avance des armées allemandes : septembre 1914

contre-offensive des armées françaises : bataille de la Marne (septembre 1914)

Front stabilisé au 1er novembre 1914

Les Années de paix

La France a payé cher sa victoire : 1 500 000 jeunes gens sont morts ; dans chaque village un monument aux morts témoigne du sacrifice de ses fils. Démographiquement le pays est affaibli. L'essor industriel a été freiné ; les dettes, pour financer l'effort de guerre, sont énormes. Reconstruire le Nord et l'Est ravagés est la tâche la plus urgente. La « génération du feu », à jamais marquée par quatre années d'horreur, est résolument pacifiste : la création de la Société des Nations* (SDN) marque la volonté de tous les peuples de résoudre dorénavant les problèmes autrement que par les armes.

Les transformations économiques et sociales

Cependant les Français ont une extraordinaire envie de vivre, de s'amuser, de retrouver l'insouciance des temps de paix. La radio, le cinéma, la danse, tous ces plaisirs oubliés pendant la guerre reviennent en force ; c'est la grande vogue du jazz venu des États-Unis. Une vision moderne de la création artistique s'impose dans tous les domaines : théâtre, peinture, décoration, ameublement...

L'apparition des femmes, durant la guerre, dans des secteurs d'activité jusque-là réservés aux hommes a entraîné une grande transformation dans les mentalités et les habitudes. La femme réclame de nouveaux droits et manifeste son indépendance jusque dans les plus petits détails (cheveux coupés à la « garçonne », robes courtes...).

La vie économique est bouleversée par la croissance urbaine, la modernisation de l'industrie, le retour des départements occupés, la généralisation de certains biens considérés jusqu'alors comme objets de luxe : la voiture

A l'issue de la guerre, la femme se veut plus indépendante et revendique l'égalité avec l'homme. La mode allonge la silhouette, plus déliée et plus souple.

conquiert une large clientèle grâce aux progrès — là aussi imités des Américains — de sociétés comme Renault, Peugeot ou Citroën.

L'aviation a profité des besoins et des expériences de la guerre pour prendre son essor. Le cinéma muet, grâce à une production massive de films, fait partie des besoins quotidiens.

La vie, après la grande halte de la guerre, paraît avoir repris son rythme égal d'avant-guerre et pourtant, dès 1919, une vague de grèves très graves secoue le pays et annonce d'autres orages.

Les difficultés intérieures

Pendant la Grande Guerre, tendu vers la victoire, le monde politique avait mis en sommeil ses différends ; le mouvement ouvrier lui-même était très peu actif.

Après l'armistice, alors que la vie politique reprend, le mouvement ouvrier va se diviser gravement ; en 1920, le congrès de Tours exprime la profondeur de la crise qui déchire le parti socialiste : la majorité soutient la IIIe Internationale communiste dont le siège est à Moscou ; la minorité garde « la vieille maison » (la SFIO). De cette scission entre socialistes est né le parti communiste français (PCF).

Mais, à partir de 1923, la SFIO redevient le premier parti ouvrier en France.

L'instabilité gouvernementale est grande en raison de la difficulté à maintenir des alliances entre les partis. Néanmoins, les gouvernements qui se succèdent (Clemenceau, Poincaré, Millerand, Herriot) s'efforcent de rétablir l'économie et, en tout premier lieu, d'assurer à la France des rentrées fiscales régulières grâce à la création de l'impôt sur le revenu et à la taxe sur le chiffre d'affaires (1920). La stabilisation du franc sera l'œuvre de Poincaré (1928).

Mais l'économie de la France dépend aussi de celle du reste du monde. Or, en 1929, une formidable crise économique secoue les États-Unis : en très peu de temps des centaines d'entreprises font faillite et les chômeurs se comptent par millions. Les échanges et le développement se ralentissent.

La France subit tardivement le choc de la crise qui coïncide avec un accroissement du mécontentement politique. La situation se dégrade ; les gouvernements se succèdent à un rythme accéléré et des scandales secouent le monde politique et financier. Les adversaires de la République refont surface. Le régime parlementaire est critiqué par ceux qui prennent comme modèle l'Italie ou l'Allemagne car dans ces pays des régimes fascistes*, fondés sur la dictature d'un parti ou de son chef (*duce** ou *Führer**) sont apparus. Tout cela fournit des arguments politiques aux différentes ligues fascistes et antiparlementaires.

Le 6 février 1934, une manifestation, regroupant plus de 100 000 personnes, se réunit à Paris, place de la Concorde. Briscards et Croix de feu veulent marcher sur la Chambre des députés. Pendant quelques heures on tremble pour la République. Il y a des fusillades et une centaine de victimes.

Le 6 février 1934, des milliers de personnes rassemblées place de la Concorde lancent des projectiles sur les forces de l'ordre, provoquant des émeutes sanglantes.

Coupé Renault 1925 ; cabriolet Renault Monaquatre 1934 ; Torpédo Renault 1922. Les années 1930 furent marquées par l'âpre compétition que se livrèrent Citroën et Renault.

Fernand Léger : Composition aux deux perroquets, 1939. Le peintre cherche à représenter les corps et les objets avec réalisme.

Le Front populaire

La manifestation du 6 février 1934 fait prendre conscience aux partis de gauche de la nécessité de barrer la route aux fascistes*. Les communistes signent en juillet 1934 un pacte d'unité d'action avec la SFIO; pour le 14 juillet 1935, à l'appel de ces deux partis et des radicaux, 500 000 personnes défilent à Paris.

En mars 1936, l'unité syndicale est réalisée. Tous ces événements annoncent le prochain succès électoral de la gauche.

Le Front populaire gagne les élections législatives d'avril-mai 1936, en fondant sa campagne sur un programme modéré résumé par ces trois mots « pain, paix et liberté ». Devenu président du Conseil, le socialiste Léon Blum forme un gouvernement composé de socialistes et de radicaux et soutenu par les communistes qui n'y participent point.

Une vague de grèves qui touchent deux millions de travailleurs déferle sur le pays, bientôt accompagnées d'occupations d'usines.

Léon Blum réunit les représentants du patronat et de la CGT pour une grande négociation : le 7 juin les accords Matignon sont signés : les salaires sont sensiblement augmentés, le droit syndical est reconnu dans l'entreprise, la pratique des conventions collectives par secteur d'activité est généralisée. Des lois sont votées qui accordent aux salariés quinze jours de congés payés par an et limitent à 40 heures la durée de la semaine de travail. Les industries de guerre sont nationalisées. Un esprit nouveau règne dans la vie politique et quotidienne des Français.

Symbole d'une manifestation du Front populaire, l'ouvrier à la casquette porte sur ses épaules une fillette levant le poing, salut révolutionnaire de la gauche.

Les ouvriers, lors de la grève, occupent les usines. Dans une ambiance de fête, ils s'organisent et tiennent jusqu'à la victoire. (Usines Delahaye, 1936.)

Les nuages s'amoncellent

Une fois l'euphorie de l'été et des premiers congés payés passée, force est de reconnaître la gravité de la situation économique : stagnation de la production, hausse vertigineuse des prix... Le gouvernement est contraint de dévaluer le franc; mais les bienfaits de cette mesure financière ne sont pas durables. Léon Blum décide, en février 1937, de faire une pause dans les réformes sociales prévues au programme du Front Populaire. Mais cette mesure ne suffit pas à redresser l'économie. Une opposition violente se déchaîne :

— la presse de droite lance une campagne antisémite contre les membres israélites du gouvernement, et, en tout premier lieu, contre Léon Blum.

— une campagne de calomnies se développe contre certains ministres : on accuse le ministre de l'Intérieur Roger Salengro d'avoir déserté durant la guerre et on le pousse ainsi au suicide.

— les ligues de droite, qui avaient été dissoutes, se reconstituent sous d'autres noms et reprennent leur agitation. La gauche se divise profondément sur la guerre d'Espagne : tout en apportant une aide indirecte à la jeune République espagnole, le gouvernement craint qu'une intervention ouverte française menace la paix fragile en Europe tandis que les communistes réclament des avions et des canons pour l'Espagne.

Le gouvernement devant cette opposition intérieure et aussi la volonté de non-intervention de ses alliés, décide de demander aux grandes puissances européennes un traité de « non-intervention ».

Léon Blum, violemment attaqué au Sénat sur sa politique économique, démissionne en juin 1937. L'expérience du Front populaire, pour courte qu'elle fût, reste pour de nombreux Français, comme un moment privilégié où a soufflé un esprit nouveau sur la vie politique.

La marche à la guerre

La situation se dégrade rapidement et sensiblement dans toute l'Europe :

— l'Italie de Mussolini, surpeuplée, étend ses colonies en envahissant l'Éthiopie (1935),

— l'Allemagne d'Hitler s'arme intensivement et se prépare à la guerre,

— l'Autriche, sa première victime, est annexée en février 1938 (l'*Anschluss*); le territoire des Sudètes, région nord de la Bohême, est la proie suivante. Devant les protestations de la Tchécoslovaquie, les Anglais et les Français décident de rencontrer les Italiens et les Allemands à Munich; les premiers finissent par accepter les demandes d'Hitler contre sa promesse de ne plus formuler aucune revendication territoriale en Europe...

Les accords de Munich entre ces quatre puissances (29 septembre 1938), bien loin d'éloigner la guerre, permettent à Hitler d'annexer les Sudètes et ensuite d'occuper Prague sans coup férir (1939). Le bruit des bottes, le grondement des tanks ne trompent pas : l'invasion de la Pologne par les troupes allemandes, le 1er septembre 1939, déclenche la Seconde Guerre mondiale.

Léon Blum (1872-1950) préside le premier gouvernement du Front populaire. «... J'ai traversé la grande banlieue parisienne, et j'ai vu les routes couvertes de ces théories de ''tacots'', de ''motos'', de ''tandems''... Tout cela me donne le sentiment que, par l'organisation du travail et du loisir, j'avais malgré tout apporté une espèce d'embellie, d'éclaircie dans des vies difficiles et obscures... On avait créé pour eux un espoir.» (Les premiers congés payés, été 1936.)

La Seconde Guerre mondiale

Honorant leur traité avec la Pologne, la France et la Grande-Bretagne déclarent, le 3 septembre, la guerre à l'Allemagne. En quelques semaines les nazis* écrasent la valeureuse armée polonaise en dépit d'une résistance acharnée, tandis que le 17 septembre, à la suite du pacte germano-soviétique, l'Union soviétique envahit la Pologne orientale. Les Français, se croyant à l'abri d'une invasion parce que protégés par une série de fortins tout le long de la frontière franco-allemande, la ligne Maginot, attendent le choc décisif.

La drôle de guerre

L a guerre, faite d'escarmouches et d'attentes, dure de long mois, jusqu'au printemps 1940. Alors les Allemands, qui avaient mis au point une nouvelle tactique de « guerre éclair », utilisent toutes les ressources motorisées modernes, envahissent en quelques jours la Hollande, le Danemark, la Belgique (10 mai). Les colonnes de chars allemands appuyées par l'aviation et en particulier par des chasseurs bombardiers qui attaquent en piqué, démoralisent les populations et provoquent un afflux de réfugiés belges puis français vers l'intérieur du pays.

Les armées françaises sont bientôt enfoncées, les Anglais sont encerclés dans Dunkerque mais ils réussissent à évacuer une grande partie de leurs troupes grâce à un véritable pont naval qui s'établit sur la Manche. Le 14 juin 1940, les Allemands entrent dans Paris et défilent sur les Champs-Élysées. La débâcle des armées anglo-françaises est complète.

L'ampleur de la défaite entraîne la chute du gouvernement; le maréchal Pétain, héros de Verdun, prend le pouvoir. Son prestige est alors immense et une majorité de Français lui fait confiance. Le 16 juin, il demande un armistice et ordonne à l'armée de cesser le combat.

Le 18 juin, de Londres où il s'est réfugié avec une poignée de Français qui, d'eux-mêmes, s'appellent « libres », Charles de Gaulle lance un appel à la résistance. Le 23 juin l'armistice est signé, la France est coupée en deux : les Allemands occupent le nord et la façade Atlantique jusqu'à la frontière espagnole. Le gouvernement est réfugié à Vichy avec Pétain; le Parlement, réuni dans cette ville, donne le pouvoir constituant au maréchal.

C'est la fin de la IIIe République et le début de l'État français.

Pendant ce temps, la France combattante s'organise; le gouvernement britannique reconnaît de Gaulle comme le chef des Forces françaises libres (FFL). La répression nazie commence très tôt : le 22 octobre 1941, à la suite d'un acte de résistance, des otages sont fusillés à Nantes, Bordeaux et Chateaubriant.

Victoires allemandes

L 'Allemagne lance contre l'Angleterre ses forces aériennes, les bombardements sont terribles, mais la Royal Air Force met en échec la Luftwaffe. C'est alors que l'Allemagne envahit, au début de 1941, la Yougoslavie et la Grèce. Sur le front lybien, les troupes italo-allemandes repoussent les Anglais vers la frontière égyptienne. En Syrie et au Liban, les Forces françaises libres, secondées par les troupes anglaises délogent les forces vichyssoises. C'est la première victoire de la France libre. Le 22 juin, Hitler lance son armée contre l'URSS. En décembre, les Japonais attaquent par surprise la flotte des États-Unis à Pearl Harbour : ces derniers entrent dans la guerre aux côtés des Alliés.

En cette fin de 1941, on se bat partout en Europe, en Afrique, en Asie, en Océanie.

La Résistance

E n France, dès juin 1940, la Résistance* s'organise : des réseaux et des mouvements clandestins se développent en zone libre comme en zone occupée. Des milliers de personnes entrent dans le combat contre les occupants et les collaborateurs*. La répression nazie est féroce : exécution ou déportation dans des camps de concentration.

Résistant en Normandie. Le rôle de la Résistance armée, qui a été si important pendant l'Occupation, s'accroît encore au moment du débarquement des Alliés en Provence et en Normandie. Elle harcèle l'ennemi en déroute et fraye souvent la voie aux unités alliées.

La loi sur le statut des Juifs, promulguée par le gouvernement de Vichy, a permis l'arrestation (Vel d'Hiv 1942) et la déportation de milliers d'Israélites dans les camps d'extermination nazis.

Le tournant

L a fin de 1942 marque le tournant de cette guerre : les troupes soviétiques, assiégées dans Stalingrad, mettent en échec la progression allemande ; le maréchal von Paulus, encerclé à son tour, capitule devant les Soviétiques. En Égypte, l'armée anglaise résiste victorieusement à l'offensive de l'Afrika Korps de Rommel (bataille d'El Alamein). En novembre, les troupes anglo-américaines débarquent en Afrique du Nord. En France, les Allemands envahissent alors la « zone libre » et, à Toulon, la flotte française se saborde pour ne pas être prise (novembre 1942).

En juillet 1943, les Alliés débarquent en Sicile puis en Italie. La Résistance gagne toute la France : des maquis armés attaquent par surprise des garnisons allemandes ; le 15 mai, les différents mouvements de Résistance fusionnent et forment le Conseil national de la Résistance. Le 1er octobre, de Gaulle devient président du Comité français de libération nationale qui deviendra, en juin 1944, le gouvernement provisoire de la République dont le siège est à Alger.

Le 6 juin 1944, les Alliés débarquent en Normandie et le 15 août en Provence. Les blindés du général Leclerc entrent dans Paris insurgé le 25 août. A l'Est, les troupes soviétiques avancent vers Berlin tandis qu'à l'Ouest, les Alliés, continuant leur progression, pénètrent en Allemagne.

Le 8 mai 1945, les Allemands capitulent sans conditions : c'est la fin de la guerre en Europe. Quelques mois plus tard, les Japonais capitulent à leur tour.

La Seconde Guerre mondiale s'achève par l'écrasement total du nazisme* et du fascisme*.

Le 14 juin 1940, les troupes allemandes entrent dans Paris qui devient le siège du commandement militaire de la France occupée.

Le 6 juin 1944, le plus grand débarquement de tous les temps se réalise sur cinq plages de Normandie. Des chalands possédant à l'avant une rampe rabattable, des milliers d'hommes sautent dans l'eau et prennent d'assaut les fortins normands.

Le général de Gaulle, qui préside le gouvernement provisoire de la République française, arrive dès le 14 juin dans Bayeux libérée. Le 25 août, il est triomphalement accueilli dans Paris.

L'après-guerre

La France sort meurtrie de la guerre : des dizaines de milliers d'hommes, de femmes et d'enfants sont morts ; son économie est ravagée, des villes entières sont détruites. Mais l'enthousiasme, l'espoir est général.

Naissance de la IVe République

L e général de Gaulle conduit les affaires du pays à la tête d'un gouvernement provisoire. Les partis traditionnels se reconstituent mais d'autres aussi, issus de la Résistance, prennent forme. Des mesures économiques et sociales sont prises dès la fin de 1944 :
— nationalisation de certaines banques et du crédit, des houillères du Nord, de quelques industries comme Renault ;
— un Commissariat général du Plan est créé en 1945, qui doit aider à la reconstruction du pays avec l'aide américaine (plan Marshall) ;
— le vote des femmes est acquis ;
— un système national de Sécurité sociale remplace les multiples assurances sociales d'avant-guerre ; les allocations familiales sont créées.

La France retrouve sa place dans le concert des nations : avec les Alliés, elle reçoit la capitulation des armées nazies en 1945. Elle parti-

cipe à la création de l'Organisation des Nations unies (ONU) et des nombreuses institutions qui en dépendent ; elle siège au Conseil de Sécurité de l'ONU. Il faut une nouvelle constitution à la France ; le général de Gaulle en propose une, qui est refusée : il démissionne le 20 janvier 1946. Les élections à l'Assemblée constituante de juin 1946 assurent la victoire de trois partis : le PCF, la SFIO et le MRP (Mouvement républicain populaire).

Le 13 octobre, la nation ratifie par référendum une nouvelle constitution, des élections législatives suivent.

La IVe République est née, son premier président est Vincent Auriol.

La situation économique est de plus en plus sérieuse, des grèves se développent un peu partout : Ramadier, Président du Conseil, décide alors de renvoyer les ministres communistes qui participaient au gouvernement.

Néanmoins, grâce à l'aide américaine, à la volonté des Français, le pays se relève très vite, l'économie redémarre, de nouvelles constructions, et parfois même des villes entières naissent, le niveau de vie s'élève rapidement.

Cette période est aussi marquée sur le plan démographique par un essor sans précédent : c'est le « baby boom » des années cinquante qui va permettre au pays de retrouver très vite une population aussi nombreuse qu'en 1939.

La décolonisation

D ès la fin de la Seconde Guerre mondiale, l'agitation gagne les colonies. Les peuples placés sous l'autorité de la France souhaitent leur émancipation.

En Indochine, les Viêt-minhs, sous la conduite d'Hô Chi Minh, demandent l'indépendance. Dans un premier temps la France refuse. Elle envoie même des troupes pour combattre les Viêt-minhs, mais ceux-ci connaissent bien leur pays et mènent une guerre de partisans.

Le 7 mai 1954, l'armée française encerclée dans le camp retranché de Diên-Biên-Phû se rend. Des milliers de soldats et d'officiers français sont faits prisonniers. La France ressent cette défaite comme une humiliation. Le gouvernement est renversé et Pierre Mendès-France, nouveau Président du Conseil signe, en juillet 1954, les accords de Genève qui mettent fin à la guerre d'Indochine : la France a perdu sa première guerre coloniale. Le 1er novembre 1954, éclate en Algérie, dans les Aurès, une insurrection antifrançaise. Les partisans du FLN (Front de libération nationale) algérien veulent aussi leur indépendance. Mais, en Algérie, vivent plus d'un million de Français. Pour eux, il n'est pas question d'abandonner leur pays, l'Algérie. L'armée interviendra massivement au début pour soutenir les colons français. La guerre va durer des années.

Pour les colonies françaises d'Afrique, la décolonisation se déroule pacifiquement. Les pays d'Afrique noire obtiennent d'abord une

Cette carte de l'Europe à la fin de la guerre montre combien cette partie du monde a été bouleversée :
— l'Union soviétique occupe désormais l'Estonie, la Lettonie et la Lituanie ;
— la Pologne, la Tchécoslovaquie, la Hongrie, la Roumanie, la Bulgarie et la Yougoslavie deviennent après-guerre des démocraties populaires et passent dans l'orbite soviétique ;
— des troupes d'occupation se partagent l'Autriche et l'Allemagne ;
— des millions de personnes sont déplacées.

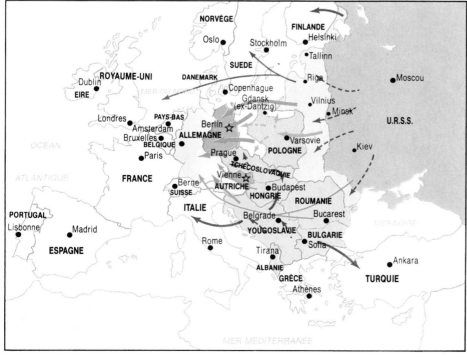

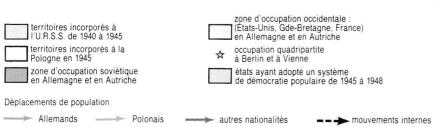

	territoires incorporés à l'U.R.S.S. de 1940 à 1945
	territoires incorporés à la Pologne en 1945
	zone d'occupation soviétique en Allemagne et en Autriche

	zone d'occupation occidentale : (États-Unis, Gde-Bretagne, France) en Allemagne et en Autriche
☆	occupation quadripartite à Berlin et à Vienne
	états ayant adopté un système de démocratie populaire de 1945 à 1948

Déplacements de population
→ Allemands → Polonais → autres nationalités --→ mouvements internes

certaine autonomie dans le cadre de l'Union française (1946), avant d'obtenir leur indépendance au début des années soixante.

Les protectorats tunisien et marocain accèdent en 1956 à l'indépendance.

L'idée européenne

L es deux guerres mondiales qui ont ravagé l'Europe au XXᵉ siècle ont provoqué des millions de morts et des destructions innombrables. La France veut éviter pour l'avenir de telles catastrophes ; elle participe activement à une politique d'union européenne tant politique qu'économique.

Robert Schuman est un des pionniers de cette politique. En 1951, la CECA (Communauté européenne du charbon et de l'acier) est créée ; en 1957, c'est au tour de l'EURATOM de voir le jour (Organisation de coopération européenne pour l'utilisation de l'énergie atomique). En même temps, le traité de Rome officialise l'existence de la CEE (Communauté économique européenne). Les grandes institutions politiques et économiques de coopération européenne sont en place.

Une seule ombre au tableau : en 1955, Pierre Mendès-France ne réussit pas à convaincre les députés français de créer une armée européenne, la CED, et il doit démissionner. Mais l'idée de coopération entre les nations européennes a fait son chemin. L'Europe est devenue une réalité.

Vers une nouvelle République

E n dépit des progrès économiques, les guerres coloniales et l'instabilité gouvernementale provoquent de graves tensions politiques.

La guerre d'Algérie est le détonateur d'une crise profonde : refusant l'autorité de l'État, le 13 mai 1958, des généraux factieux créent à Alger un Comité de salut public ; le 15 mai le général de Gaulle se déclare prêt à assumer les pouvoirs de la République ; à la demande du président Coty, il devient le chef du gouvernement et l'Assemblée nationale lui vote les pleins pouvoirs ; le 28 septembre une nouvelle constitution est adoptée par référendum : c'est la fin de la IVᵉ République et le début de la Vᵉ République. Le 21 décembre, le général de Gaulle est élu président de la République et de la Communauté française.

La mariée en blanc, au bras de son père, se dirige vers l'église... Les traditions sont maintenues, en dépit de l'évolution des mœurs.

Un dépôt de locomotives à vapeur. Bientôt, elles vont disparaître, remplacées par des locomotives mues à l'électricité.

Pendant la guerre d'Algérie, de Gaulle se rend à Alger où il est acclamé par les Algérois. Mais de Gaulle considérait déjà que l'intérêt supérieur de la France lui dictait de mettre fin à cette guerre en accordant aux Algériens l'indépendance.

Bien-être et consommation

La IVe République avait jeté les bases de l'extraordinaire essor et croissance économiques des années 60 et 70.

« Long term parking » est une sculpture d'Arman qui symbolise la civilisation de la voiture. Elle se trouve dans le parc de la Fondation Cartier à Jouy-en-Josas.

Vue sur la centrale nucléaire de Chinon, une des plus importantes centrales qui produisent de l'énergie électrique à partir de l'énergie nucléaire.

Renault est un des grands producteurs européens de voitures. Les R 10 que l'on voit sur ce cliché sortirent des chaînes de fabrication dans les années 60.

La modernisation de la France

L'agriculture se modernise rapidement grâce aux progrès agronomiques et techniques. Les exploitations agricoles s'équipent de tracteurs, de moissonneuses-batteuses, de trayeuses électriques et d'autres matériels qui permettent des rendements de plus en plus élevés. Les bâtiments d'exploitation s'adaptent à ces changements : multiplication des silos, des étables modernes, des laiteries etc.

La sélection de races d'animaux et l'utilisation d'aliments pour bétail ont permis une augmentation de la production laitière et de viande. De nouvelles variétés de blé et de maïs, entre autres, assurent d'abondantes récoltes. L'industrie agro-alimentaire qui s'est fortement développée, livre à la consommation des gammes variées de produits. La France est ainsi devenue une des premières puissances agricoles et un des plus grands exportateurs d'agro-alimentaire.

L'industrie se développe à un rythme rapide. La sidérurgie, l'automobile, l'industrie aéronautique, chimique et pharmaceutique sont des secteurs en pleine expansion. L'industrie est grande consommatrice d'électricité et pour assurer sa progression, des centrales thermiques et hydro-électriques sont construites près des plus importants centres industriels. Les centrales nucléaires qui se multiplient à partir de 1974 fournissent plus de 40 % de la consommation nationale d'électricité.

L'industrie du bâtiment a pris son essor dans les années 50 et 60 : des centaines de milliers de logements sont construits pour répondre aux besoins des jeunes ménages. Autour des grandes villes, les banlieues s'étendent et se couvrent de grands ensembles de logements ; des villes nouvelles sont créées et deviennent à leur tour des centres de développement économique. Une architecture hardie et un environnement soigné offrent un cadre de vie agréable aux nouveaux habitants.

Le réseau téléphonique modernisé depuis 1970 assure des services diversifiés (Minitel par ex.). La France prend une place importante dans les télécommunications spatiales.

Le réseau routier et ferroviaire se modernise et se densifie. Des milliers de kilomètres d'autoroutes, de voies rapides, de ponts, de tunnels, construits au cours des dernières décennies ont permis le développement du transport routier (trafic des marchandises) et du tourisme. La S.N.C.F. a mis en service des trains de plus en plus rapides (T.G.V. par ex.), des wagons de plus en plus confortables pour les voyageurs, des trains de marchandises de plus en plus longs traînés par de puissantes locomotives. Les dessertes urbaines se développent régulièrement : R.E.R., lignes rapides d'autobus, métro automatique — VAL à Lille —, réseau ferroviaire de banlieues, voies périphériques...

Le transport aérien a pris lui aussi un essor considérable. De nouveaux aéroports ont été construits et celui de Roissy-Charles de Gaulle est un des plus grands au monde. Le nombre de voyageurs qui prennent l'avion augmente chaque année ; les compagnies aériennes mettent à la disposition des vacanciers des avions-charters à prix de billets réduits.

L'évolution du mode de vie

C et essor industriel et agricole va de pair avec la démocratisation de l'enseignement. Depuis 1950, le nombre de lycéens et d'étudiants augmente constamment ; des milliers de C.E.S. ont été construits, souvent hâtivement ; les lycées se sont multipliés ; devant l'afflux d'étudiants, de nouvelles universités se sont créées à Paris et dans chaque région de France. La recherche scientifique française accède aux tous premiers rangs mondiaux.

La culture suit la progression de l'enseignement. Le théâtre, en se décentralisant, se démocratise ; de grandes rétrospectives de peintres (Dali, Chagall, Picasso) attirent des foules considérables ; de nouveaux musées sont créés

en province et à Paris (Musée d'Orsay, Centre Pompidou, Cité des Sciences et de l'Industrie, aménagement du Grand Louvre) ; des festivals de musique et de théâtre sont organisés régulièrement dans les villes de province, en particulier pendant la saison estivale.

Le mode de vie des Français a changé : les vacances, les loisirs, les voyages à l'étranger, ne sont plus réservés à des privilégiés mais deviennent accessibles au plus grand nombre. La santé publique s'est considérablement améliorée et modernisée. La mortalité infantile est une des plus basses au monde.

Les moyens d'information de masse (ou mass-média) jouent un grand rôle dans la vie quotidienne des Français : la multiplication des chaînes de télévision et des stations radiophoniques assurent un large éventail d'informations et de programmes de loisirs (jeux, sports, variétés etc.). Les « trente glorieuses » (comme on appelle cette période de croissance économique) ont été marquées aussi par l'arrivée massive d'une main-d'œuvre étrangère, majoritairement d'origine maghrébine, sans laquelle la prospérité de la France n'aurait pu être assurée. La faible natalité assure

La Géode est une merveille technique, du point de vue cinématographique. Elle est située dans le parc de la Cité des Sciences et de l'Industrie à la Villette.

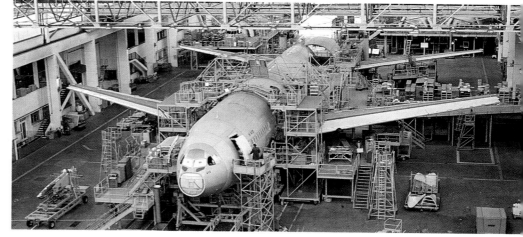

à peine le renouvellement de la population française et en dépit de l'essor du travail féminin (en particulier dans les services et dans l'administration), le pays manque de bras surtout dans le bâtiment, l'automobile, les travaux publics, la voirie.

Un frein à la croissance

L a crise économique de 1973-1974 due au renchérissement du prix du pétrole et à la baisse de productivité de certains secteurs industriels (sidérurgie, charbonnage, textile, automobile) a provoqué un fort chômage en France. Des millions d'emplois ont été perdus et plus de deux millions de personnes se sont retrouvées sans travail.

Progressivement, la France et les grands pays industriels atteints aussi par la crise économique, ont dû déployer de nouveaux moyens financiers pour développer les secteurs industriels de pointe (électronique, bureautique, informatique, robotique etc.) et pour automatiser davantage la production. La formation des jeunes, la reconversion des ouvriers et des cadres, l'amélioration de l'enseignement technique et scientifique sont dorénavant des priorités dans la lutte contre le chômage.

Monté dans les halls de l'Aérospatiale à Toulouse, l'Airbus est un avion européen dont le succès international est assuré par sa haute technologie.

Monument architectural, l'ancienne gare d'Orsay à Paris a été transformée en musée du XIXe siècle.

La Vᵉ République

La guerre d'Algérie envenime les débuts de la Vᵉ République. De Gaulle proclame le 16 septembre 1959 le droit de l'Algérie à l'autodétermination par voie de référendum. La réaction des partisans de l'Algérie française ne tarde pas à se manifester : complots et rébellions se succèdent en Algérie au sein de l'armée et d'une frange de la population. L'année 1960 est entièrement marquée par le problème algérien ; de Gaulle, après avoir écarté les dangers, se prononce pour l'indépendance de l'Algérie. Les négociations d'Évian, en juin 1961, ouvrent la voie à un règlement pacifique. L'année suivante, l'Algérie devient indépendante, ce qui ne se fait pas sans drame pour un million de Français. Dans le même temps, toutes les anciennes colonies françaises de l'Afrique noire accèdent à l'indépendance (1960), tout en gardant des liens privilégiés avec la France.

En 1962, le général de Gaulle propose une réforme de la Constitution : désormais, le président de la République sera élu au suffrage universel*.

Mai 68

L'année débute par une agitation lycéenne : des comités d'action se forment dans les lycées, et, le 22 mars, des étudiants occupent les bâtiments de l'université de Nanterre. C'est le début du mouvement estudiantin qui, parti de Paris, va déferler sur toute la France. En mai, ce mouvement atteint son point culminant lorsque la police évacue la Sorbonne occupée par les étudiants ; des barricades hérissent le Quartier latin et les manifestations entraînent des dizaines de milliers de jeunes dans les rues.

Le mouvement se double de grèves et d'occupations d'usines. Mais il s'essouffle bientôt et de Gaulle dissout la Chambre des députés ; les nouvelles élections donnent une large majorité aux partisans du gouvernement.

L'après de Gaulle

À la suite d'un référendum* défavorable sur la régionalisation* et le Sénat (avril 1969), le président de Gaulle démissionne.

Georges Pompidou, qui fut à plusieurs reprises chef de gouvernement, est élu à une large majorité à la présidence de la République.

La société de consommation, ainsi appelée péjorativement en mai 68, reprend son rythme de progression. Après le recul électoral de la gauche en 1968, celle-ci retrouve ses voix aux élections de 1973.

En 1974, le président Georges Pompidou meurt et Valéry Giscard d'Estaing est élu à une courte majorité.

Dans ces mêmes années, une crise économique éclate dans tous les pays industrialisés, dont une des causes est la brutale hausse du prix du pétrole. Le chômage qui avait pratiquement disparu depuis la fin de la guerre réapparaît comme une douloureuse réalité quotidienne. Les gouvernements, en dépit des mesures adoptées, ne peuvent juguler chômage et inflation.

La carte politique de la France change sensiblement lorsque, en 1977, la gauche gagne les élections municipales.

Le président Georges Pompidou était passionné d'art moderne (ici devant une sculpture de Giacometti). Il est à l'origine du centre Beaubourg qui porte son nom.

Le président Charles de Gaulle prenant un «bain de foule» lors d'un voyage en France.

La Constitution de la Vᵉ République

La Constitution se compose d'un préambule et de 15 titres divisés en 92 articles :

Le préambule se réfère à la *Déclaration des Droits de l'homme et du citoyen* de 1789 et au préambule de la déclaration de 1946. Les auteurs ont ajouté que la République française et les peuples d'outre-mer instituent une Communauté, en adoptant par un Acte de libre détermination la présente Constitution.

Dans la Constitution de 1958, les rôles du président et du gouvernement sont prééminents :

Le président de la République est élu pour 7 ans et rééligible. Il est élu par les députés, les sénateurs, les conseillers généraux, les représentants des conseils municipaux et des territoires d'outre-mer. Avec la réforme constitutionnelle de 1962, le président est désormais élu au suffrage universel.

Le président nomme le Premier ministre, nomme et révoque les autres ministres sur proposition du Premier ministre. Il est le chef des Armées. Il nomme les ambassadeurs de France et a un contrôle étendu sur la politique étrangère. Il a le droit de dissoudre l'Assemblée nationale et de recourir au référendum ; lorsque les circonstances l'exigent, il peut exercer les pleins pouvoirs en vertu de l'article 16.

Le Premier ministre est le chef du gouvernement. Il ne peut être révoqué par le président de la République que s'il démissionne ou si l'Assemblée lui refuse sa confiance.

Le Parlement est composé de 2 chambres : l'Assemblée nationale et le Sénat.

Le Conseil constitutionnel est un organe nouveau. Il est composé de 9 membres nommés et de membres de droit (les anciens présidents de la République).

Le 10 mai 1981, François Mitterrand, candidat de la gauche, est élu président de la République avec 51,75 % des suffrages exprimés. Aux élections législatives (juin 1981), la victoire de la gauche se confirme : le Parti socialiste obtient le plus grand nombre de sièges à l'Assemblée nationale. Grâce aux institutions de la Vᵉ République, l'alternance s'effectue dans le respect des lois.

Après les élections législatives, le président de la République nomme Pierre Mauroy Premier ministre. Celui-ci forme le nouveau gouvernement avec une majorité de ministres socialistes, mais également des communistes et des radicaux de gauche. En 1984, les ministres communistes quittent le gouvernement à la suite de désaccords au sujet de la nouvelle politique économique, plus libérale, que mène le nouveau Premier ministre Laurent Fabius.

Aux élections législatives de 1986, la gauche est battue. Le président de la République choisit alors un Premier ministre dans les rangs de l'opposition, Jacques Chirac. Un nouveau gouvernement est formé avec des ministres représentant les partis du Centre et le R.P.R. Ainsi s'ouvre une période de « cohabitation » entre un président de gauche et un gouvernement de centre droit.

En 1988, François Mitterrand est de nouveau élu président de la République après avoir battu

Le président Valéry Giscard d'Estaing à Montceau-les-Mines.

aux élections présidentielles Raymond Barre et Jacques Chirac qui s'étaient présentés à la candidature suprême.

Le président de la République dissout la Chambre élue en 1986, selon les pouvoirs que lui donne la Constitution. De nouvelles élections législatives ont lieu qui dégagent une courte majorité à ce qu'on nomme « la majorité présidentielle ». Michel Rocard est chargé de former le nouveau gouvernement.

Parallèlement à ces phénomènes inédits sous la Vᵉ République d'alternance et de cohabitation, la décennie 80 est marquée aussi par le renforcement de la Communauté européenne (la C.E.E.*) qui se prépare à abolir, en 1993, les frontières économiques, financières et humaines entre les 12 pays qui en font partie.

La France joue un grand rôle dans la formation de cette nouvelle Europe communautaire.

La politique internationale de la France est du ressort du président de la République. François Mitterrand et Mikhaïl Gorbatchev signant des accords bilatéraux.

Lexique

A

Absolutisme, système de gouvernement dans lequel le roi, représentant de Dieu sur terre, a tous les pouvoirs.

Adoubement, cérémonie féodale au cours de laquelle le jeune noble était fait chevalier et recevait ses armes et son équipement.

Amphore, vase à deux anses terminé dans sa partie inférieure par une pointe ; il était utilisé par les Grecs et les Romains pour transporter ou conserver des liquides ou des grains.

Aqueduc, de *aqua* (eau) et *ductus* (conduite). Canal servant à capter et à conduire l'eau d'un endroit à l'autre.

Araire, instrument en bois léger qui ne permet qu'un labour superficiel.

Arènes, amphithéâtre romain où combattaient les hommes ou les bêtes.

Assignat, papier-monnaie, émis pendant la Révolution et gagé sur les biens nationaux.

Assolement triennal, succession de cultures différentes en trois ans sur un champ divisé en trois parcelles ou soles.

B

Bailli, officier royal institué par Philippe Auguste et qui exerçait au nom du roi, dans les provinces, les fonctions de finance et de justice.

Basilique, monument public rectangulaire divisé par des rangées de colonnes ; servait de lieu de réunion chez les Romains ; durant le haut Moyen Age, église chrétienne bâtie selon le plan des basiliques romaines.

Bénéfices, dignité ou charge dotée d'un revenu. Au Moyen Age, concession de terres faites par le suzerain à un vassal à titre de récompense et à charge de certains devoirs.

C

Cadastre, document sur lequel sont inscrites la surface et la valeur des terres de chaque propriétaire et qui sert de base à l'établissement de l'impôt.

Capitalisme, système économique fondé sur la propriété privée, la liberté de production et de commerce et la recherche de bénéfices.

Capitulaire, ordonnance émanant d'un roi mérovingien ou carolingien.

Cardo, grande voie nord-sud dans les villes romaines.

Cartel, entente conclue entre des entreprises concurrentes pour contrôler les prix, les ventes, etc.

CECA, Communauté Européenne du Charbon et de l'Acier, association conclue en 1951 entre la Belgique, la France, le Luxembourg, les Pays-Bas et la République Fédérale d'Allemagne pour l'établissement d'un marché commun du charbon et de l'acier.

CEE, Communauté Économique Européenne conclue en 1957 entre la Belgique, la France, l'Italie, le Luxembourg, les Pays-Bas et la République Fédérale d'Allemagne pour l'établissement d'une union douanière et d'un marché commun. En 1973, la Grande-Bretagne, l'Irlande et le Danemark ont adhéré à la Communauté, la Grèce en 1981, puis l'Espagne et le Portugal en 1986.

Cens, redevance versée au seigneur ; à partir de la Révolution, le cens représente l'impôt nécessaire pour être électeur ou éligible.

Chambre ardente, cour de justice extraordinaire sous l'Ancien Régime qui jugeait des faits exceptionnels, hérésie ou empoisonnement notamment.

Champart, redevance en nature (partie de récolte) due au seigneur par les paysans.

Chanson de geste, ensemble de poèmes épiques relatant les exploits de héros légendaires.

Charte, le mot signifie d'abord texte écrit, par opposition aux engagements verbaux ; au Moyen Age texte mentionnant les droits, les devoirs et les engagements accordant ou confirmant des privilèges ou des franchises. Au XVIIIᵉ s., texte constitutionnel.

Chevalier, seigneur féodal ayant pour le combat un armement à cheval. Par la suite les chevaliers formèrent une classe sociale très fermée, fière de ses privilèges.

CNR, Conseil National de la Résistance, fusion des différents mouvements intérieurs français de résistance, réalisée en 1943.

Code, recueil, ensemble de lois.

Collaboration, activité pro-allemande d'une partie de la population dans les pays occupés pendant la Seconde Guerre mondiale.

Colonisation, domination politique d'un pays par un état étranger.

Commis, fonctionnaire d'un ministère ou d'une administration sous la monarchie absolue.

Communal, terrain appartenant à la commune.

Comte, fonctionnaire de l'époque carolingienne révocable par le roi, chargé d'administrer une circonscription territoriale appelée *pagus* ; puis titre héréditaire qui devient honorifique à partir du XVᵉ siècle.

Concordat, traité signé entre un état laïque et la papauté pour déterminer les droits de chacun.

Connétable, du latin *comes stabuli*, comte de l'Écurie. Titre donné en France, au commandant en chef de l'armée du XIIIᵉ au XVIIᵉ siècle.

Consolamentum, cérémonie cathare ; imposition des mains d'un parfait sur la tête d'un croyant à l'heure de sa mort pour que tous ses péchés lui soient pardonnés.

Constitutionnels, désigne les prêtres qui ont juré fidélité à la Constitution civile du clergé de 1790.

Corvée, service dû par un paysan au seigneur et consistant le plus souvent en un certain nombre de jours de travail gratuit.

Croisés, participants à une croisade qui peut être une expédition contre des hérétiques ou contre les musulmans en Terre Sainte.

D

Decumanus, grande voie est-ouest dans les villes romaines.

Dolmen, monument préhistorique composé de grosses pierres brutes formant une table gigantesque.

Droit de dévolution, attribution d'un bien ou d'un droit par voie de succession.

Duce, chef du fascisme italien.

E

Entente (pays de l'), alliance de la France, de la Russie et de la Grande-Bretagne conclue pour faire face à la Triplice (voir ce mot) à la veille de la Première Guerre mondiale.

Étiquette, cérémonial en usage dans les cours princières. L'étiquette établit la hiérarchie des courtisans et des ambassadeurs lors des réceptions.

F

Fascisme, se dit de toute doctrine visant à instaurer un régime totalitaire basé sur la toute-puissance de l'État et le rôle prééminent du chef qui, en Italie, porte le nom de *Duce* et en Allemagne de *Führer*.

Fédéré (peuple), peuple barbare qui, parce qu'il avait le droit de s'installer sur les terres de l'Empire romain, devait participer à la défense des frontières et devenait par conséquent l'allié de Rome.

Féodalité, ensemble de lois et de coutumes basées sur les liens de dépendance d'homme à homme et le don d'un fief ; cette organisation dura en Europe occidentale, et particulièrement en France, du IXe au XIIIe siècle.

Fief, terre donnée pour la vie à un vassal par son seigneur à la suite de la cérémonie de l'hommage.

Forum, place publique dans une ville romaine, centre de la vie politique, religieuse, judiciaire et commerciale. Situé en général à la croisée du *cardo* et du *decumanus*.

Führer, chef du fascisme allemand.

Fundus, mot latin qui désigne le domaine agricole sous l'Empire romain.

G

Gau, équivalent du *pagus* à l'est du Rhin.

Guilde, au Moyen Age, association professionnelle de marchands, artisans, bourgeois d'une ville, par exemple, l'association des marchands d'eau de Paris, ou même d'une vaste région telle la Hanse germanique.

H

Hérésie, doctrine religieuse considérée comme fausse et condamnée par l'Église catholique.

Huguenots, surnom donné du XVIe au XVIIIe siècle aux protestants calvinistes de France par les catholiques.

Humanisme, mouvement littéraire de la Renaissance qui a remis en honneur les langues et les littératures grecque, latine et hébraïque.

I

Impérialisme, ensemble de mesures (économiques, politiques, culturelles...) qui doivent permettre à un état d'en dominer un ou plusieurs autres.

Indulgences, faculté pour l'Église catholique de pardonner les fautes de ceux qui ont péché, moyennant une aumône. L'établissement d'un véritable trafic d'indulgences en Allemagne, au début du XVIe siècle, fut à l'origine de la Réforme de Luther.

Inquisition (Tribunal de l'), le pape Grégoire IX crée ce tribunal pour venir à bout des hérésies et de la sorcellerie. L'Inquisition créée en Espagne par saint Dominique s'étend rapidement à toute l'Europe.

Intendant, officier nommé par le roi et chargé de représenter le pouvoir royal dans les provinces. Apparus sous Louis XIII, les intendants reçurent de Louis XIV des pouvoirs étendus en matière de justice, police et finance.

J

Jachère, terre arable temporairement non cultivée afin de la laisser se reposer.

Jansénistes, partisans du jansénisme, mouvement religieux qui se répandit au sein de l'Église catholique, surtout en France, au XVIIe siècle ; il tenta d'adapter au catholicisme certains thèmes (prédestination) inspirés de la Réforme protestante.

L

Limes, mot latin désignant une frontière fortifiée.

M

Manufacture, sous l'Ancien Régime, établissement employant un nombre important d'ouvriers et où le travail s'effectuait à la main.

Marche, province frontière sous l'empire carolingien ; son chef portait le titre de marquis.

Menhir, du breton *men* (pierre) et *hir* (longue) ; monument préhistorique constitué par une grande pierre dressée verticalement.

Missi dominici, expression latine désignant sous l'empire carolingien les inspecteurs que l'empereur envoyait en province. Ils assuraient la surveillance des comtes et l'application des décisions de l'empereur.

N

Nationalisme, exaltation des intérêts, des aspirations, des traditions d'une nation par rapport aux autres.

Néolithique ou nouvel âge de la pierre, époque la plus récente de la préhistoire appelée aussi âge de la pierre polie.

Noblesse de robe, classe privilégiée de la société sous l'Ancien Régime, dont les membres avaient acquis titre et privilèges en exerçant une charge judiciaire ou financière. Cette classe s'opposait à la noblesse d'épée dont les membres, ou leurs ancêtres, avaient acquis leur titre sur les champs de bataille.

Nazisme, abréviation allemande de national-socialisme, doctrine nationaliste, raciste et belliciste élaborée en Allemagne au XXe siècle. Elle est répandue par le livre d'Adolf Hitler *Mein Kampf*.

O

Offices, nom donné à certaines charges publiques vendues, à partir du XVIe siècle, par le roi à des particuliers et dont le nombre n'a cessé de croître jusqu'en 1789.

Oints du Seigneur, rois consacrés avec une huile sainte lors de leur sacre.

ONU, Organisation des Nations unies créée en 1945 par les états signataires de la Charte des Nations unies en vue de sauvegarder la paix et la sécurité internationales.

Oppidum, ville fortifiée, citadelle de l'époque gallo-romaine.

Ordonnances, décisions du pouvoir exécutif (souverain ou gouvernement).

Ordre monastique, monastères obéissant à une même règle, par exemple la Règle de saint Benoît (Bénédictins).

P

Pagus, mot latin signifiant district, bourg. A l'époque mérovingienne et carolingienne, désigne une circonscription administrative.

Paléolithique, époque la plus ancienne de la préhistoire. Correspond à l'âge de la pierre taillée.

Papistes, surnom des catholiques au XVIᵉ siècle.

Parfaits, nom donné aux Cathares qui vivaient dans le célibat et la pauvreté. Ils s'opposaient aux simples fidèles ou *croyants* qui pouvaient vivre comme ils l'entendaient.

Péage, au Moyen Age, droit versé au seigneur permettant d'emprunter un passage (voie ou pont) situé sur ses terres.

Peintures rupestres, dessins datant de la préhistoire exécutés sur les parois des grottes.

Prédestination, doctrine calviniste selon laquelle certains hommes sont d'avance élus par Dieu et d'autres abandonnés quelles que soient leur foi ou leurs œuvres.

Préhistoire, très longue période s'achevant à l'apparition de l'écriture. La préhistoire se divise en deux grandes périodes, le paléolithique et le néolithique.

Prévôt, magistrat choisi dans la bourgeoisie et placé par Philippe Auguste à la tête de l'administration des cités.

Prolétariat, ensemble d'hommes qui ne possèdent pas les instruments de leur travail et vivent de salaires.

Protectionnisme, système économique qui, pour privilégier l'économie nationale, frappe de très lourds droits douaniers toutes les marchandises importées.

Protectorat, système colonial par lequel un état en domine un autre tout en lui laissant son indépendance ; le Maroc, la Tunisie furent des protectorats français.

R

Référendum, vote de l'ensemble des citoyens pour accepter ou rejeter une proposition du pouvoir exécutif.

Réfractaires, prêtres qui sous la Révolution refusèrent de prêter serment à la Constitution civile du clergé.

Régionalisation, décentralisation à l'échelle d'une région tant au point de vue économique et politique qu'administratif.

Remontrance, avis défavorable sur une loi, émis par le Parlement durant la monarchie absolue.

Renaissance, mouvement littéraire, artistique et scientifique européen des XVᵉ et XVIᵉ siècles ; il est dû en grande partie à la redécouverte des idées et de l'art gréco-romains.

Réparations, sommes dues par l'Allemagne pour avoir déclaré la guerre de 1914 et, par là même, occasionné des dégâts matériels considérables.

Résistance, mouvements clandestins de civils qui décident de résister à l'occupant durant la Seconde Guerre mondiale. Les différents mouvements fusionnent en 1943. Jean Moulin est le chef en France du Conseil National de la Résistance.

Rex Francorum, « Roi des Francs ». Titre pris par les rois mérovingiens et carolingiens.

S

Sarrasins, nom donné au Moyen Age aux populations musulmanes d'Orient, d'Afrique et d'Espagne.

SDN, Société des Nations, créée en 1920 par les signataires du traité de Versailles afin de garantir la paix et la sécurité entre les nations. Elle a été remplacée, en 1945, par l'ONU.

Sénéchal, à l'origine titre donné à l'officier de la cour chargé de présenter les plats ; sous l'Ancien Régime, officier de justice nommé par le roi.

Socialisme, système économique, entièrement dirigé par l'État, fondé sur la propriété collective des moyens de production et de commerce.

Suffrage universel, mode de suffrage dans lequel tous les citoyens majeurs votent quelle que soit leur fortune.

Suzerain, désigne au Moyen Age celui qui donne un fief à un vassal. A l'origine, ce terme était réservé au seigneur qui était au-dessus de tous les autres sur un territoire donné (le roi de France par exemple).

Syndicat, association ayant pour but la défense d'intérêts professionnels.

T

Terroir, ensemble des terres exploitées par une communauté paysanne.

Thermes, bains publics ou privés à l'époque romaine et gallo-romaine.

Totalitarisme, système politique établissant la prééminence de l'État sur l'individu. L'État, représenté par un parti unique, est dirigé par son chef (*Führer*, *Duce*, etc.)

Tribut, contribution imposée à un état ou un individu en signe de soumission ou de dépendance.

Triplice, les Empires Centraux — Allemagne, Autriche-Hongrie — auxquels s'est jointe l'Italie, concluent une alliance qui bientôt se heurtera aux pays de l'Entente (voir ce mot).

Troubadour, au Moyen Age, poète qui, dans le Midi de la France, allait de château en château, présenter des œuvres écrites en langue d'oc, en s'accompagnant d'instruments de musique.

Trouvère, équivalent du troubadour pour le nord de la France, dont les œuvres étaient composées en langue d'oïl.

V

Vassal, homme lié par un lien personnel à son seigneur, le suzerain, qui en échange lui donnait une terre, le fief, dont il pouvait, sa vie durant, tirer des bénéfices.

Vénalité, possibilité d'acheter ou de vendre sous l'Ancien Régime des offices ou charges.

Versaillais, surnom donné aux partisans du Gouvernement réfugiés à Versailles pendant la Commune.

Villa, grand domaine agricole dans les mondes romain, mérovingien et carolingien.

Veto, pouvoir donné à une autorité (roi ou assemblée) de s'opposer au vote ou à la mise en application d'une loi.

Index

Crédit photographique

BIBLIOTHÈQUE NATIONALE PARIS - HATIER : pp. 16/17abc/18/19/20/21/22a/23/24abcd/28/29abc/30a/31/32abc/33abcd/34ab/35/49 • **BERNARD BEAU-JARD** : p. 14b • **J.-L. CHARMET** : pp. 69b/74ab • **DAGLI ORTI** : pp. 12b/14a/15b/22b/26ab/27ab/38ab/39/40ab/41ab/42/44b/45a/46b/50/51c/52ab/58ab/59/61/62/66abc/67bc/72ab/73ab • **E.C.P.A.** : p. 78 • **GIRAUDON** : pp. 12c/13/30b/44a/45b/51ab/54ab/55abcd/56b/57ab/60/63b/67a/68/69a/75e — **LAUROS-GIRAUDON** : pp. 11/46a/52c/63a/64/65abc • **I.P.S.-P.P.P.** : p. 79b • **H. JOSSE** : pp. 20b/43/45c/47/48/53/56ac • **LENARS** : p. 9c • **MAGNUM - CAPA** : pp. 77a/79c — **MAGNUM - CARTIER-BRESSON** : pp. 77b/84b — **MAGNUM - GAUMY** : p. 85a — **MAGNUM - FRANCK** : p. 84a — **MAGNUM - LESSING** : pp. 10/12a/15a/36/37/81c — **MAGNUM - SEYMOUR** : p. 76a — **MAGNUM - ZACHMANN** : pp. 71/85b • **RAPHO - CHARLES** : p. 83b — **RAPHO - DE SAZO** : pp. 79a/82b — **RAPHO - DOISNEAU** : pp. 81ab/82c — **RAPHO - DONNEZAN** : p. 83c — **RAPHO - LUIDER** : p. 70 — **RAPHO - PUPKEWITZ** : p. 83a — **RAPHO - SANTOS** : p. 82a • **RENAULT** photothèque : p. 75bcd • **ROGER VIOLLET** : pp. 75a/76b • **J. VERTUT** : pp. 8/9abd

Couverture : Giraudon
4ᵉ Couverture : Magnum-Lessing, Giraudon, Josse,
B.N. Paris, arch. Hatier, Dagli Orti

Achevé d'imprimer en Septembre 1990
Impression Eurograph S.p.A. Milan
Photogravure Ochoa. Madrid

Imprimé en Italie